AINSI SOIT-ELLE

Paru dans Le Livre de Poche :

La Part des choses
Les Trois-Quarts du temps
Les Vaisseaux du cœur

BENOÎTE GROULT

Ainsi soit-elle

GRASSET

ISBN : 2-253-01605-5 – 1ère publication – LGF
ISBN : 978-2-253-01605-2 – 1ère publication – LGF

Ce livre est dédié

à Olympe de Gouges qui crut, l'une des premières, que les droits du citoyen devaient être ceux de la citoyenne et qui paya son erreur sur l'échafaud,

à Mary Wollestonecraft, surnommée « l'Hyène en jupon »,

à Hubertine Auclert qui en 1889 refusa de payer ses impôts puisqu'elle ne votait pas,

à Maria Deraismes, fondatrice de la Société pour l'amélioration du sort de la femme en 1876,

à Marguerite Durand, première femme à lancer un quotidien féminin en 1897,

à Louise Michel,

à Margaret Sanger, pionnière à New York du Birth Control,

à beaucoup d'autres encore qui renoncèrent à la sécurité de leur foyer et se battirent pour que d'autres femmes puissent s'épanouir, c'est-à-dire pour un besoin aussi vital et brûlant que le besoin d'aimer,

à Simone de Beauvoir, bien sûr,

à des hommes aussi, à Ambroise Paré, à Condorcet, à Stuart Mill, à Charles Fourier, à Prosper Enfantin, au Stendhal de *Lamiel*, qui furent des féministes avant la lettre,

à Léon Richer, à Victor Duruy, à Victor Blanqui, à Jules Ferry qui ouvrit les écoles aux filles pour « fournir des compagnes républicaines aux hommes républicains », à Léon Blum et à bien d'autres précurseurs moqués, incompris ou ignorés,

à Paul Guimard... à plus d'un titre,

et puis à un Etat du Far West, le Wyoming, qui fut le premier au monde, en 1869, à accorder le droit de vote aux femmes.

PRÉFACE

Je pars chez moi pour écrire un livre dont le sujet ennuie d'avance bien des gens... qui le plus souvent ne lisaient déjà pas mes romans ! Ayant vécu à Paris plus de quarante ans, habitant le Var depuis cinq ans, c'est toujours à la Bretagne que je pense quand je dis : chez moi. Je lui suis reconnaissante de tout : de l'enfance qu'elle m'a donnée, de son odeur qui me ferait la reconnaître les yeux fermés comme Napoléon le disait de sa Corse, de cette impatience délicieuse que j'éprouve toujours en m'approchant d'elle, de cette mélancolie quand je m'éloigne, de sa capacité à me guérir et à me faire oublier. Je ne vois pas quel malheur ne serait adouci par le fait de pouvoir me dire : « Heureusement, j'ai la Bretagne. » C'est tout de suite vers elle que j'ai couru quand Pierre, le mari de ma jeunesse, est mort à vingt-quatre ans.

Chaque fois que j'entends l'accent breton, dont on se demande pour quelles raisons il n'a jamais eu les honneurs du cinéma ou de la littérature, comme l'accent du Midi aussi obsédant et inévitable que l'ail, je souris de tendresse. Mon amour pour ce pays est injuste et merveilleux. Comme l'amour.

Toute l'année j'écoute Inter-Service-Mer à neuf heures dix. J'ai toujours envie de savoir quel temps il fait à Dogger Bank, à Fisher Bank ou à Fladden Ground, ces points mythiques perdus en mer d'Irlande, en mer du Nord ou dans le canal Saint-George, qui sont le décor quotidien des marins bretons.

« Tu entends ça ? Coup de vent force 7 chez nous, dis donc ! » dis-je à Paul tandis que nous prenons notre petit déjeuner à force 2 dans notre jardin hyérois.

A partir de 5 je hais le vent du Midi. En Bretagne, quand il « s'établit », on sait où il va, on peut compter sur lui pour le meilleur ou pour le pire. En Méditerranée, c'est un fou, un être à frasques, indécis, excessif, agressif pour le plaisir. C'est en vivant dans le Var que j'ai compris les vers de Montherlant :

Le vent, stupide vent, bête comme un vivant
Et il faudra mourir sans avoir tué le vent...

Il parlait du mistral sûrement, violent et buté, de ces rafales imbéciles qui jaillisent de rien et retombent sans raison. Pas de l'humide suroît qui sent bon l'iode, ni du noroît qui fait la lumière si brillante, ni du suet. Du vent d'est à la rigueur, si peu marin. L'Atlantique n'a pas de ces caprices... j'allais dire féminins. A quel point le langage nous contraint à mal penser : le caprice est féminin comme l'orme est séculaire.

En Bretagne, la terre fait son riche métier de terre. Elle sent bon le pourri en hiver et meilleur encore la germination au printemps. Ici, les feuilles meurent pour quelque chose : c'est à ce prix qu'elles remonteront dans les feuilles prochaines. Dans mon jardin du Var, ce cycle ne veut pas s'accomplir. La terre est malingre et sent la poussière, et les arbustes conservent jalousement leur raide verdure puisqu'ils savent que le sol ne pourra rien en faire. Tout ce qui tombe est perdu, desséché, emporté par le stupide vent.

En Bretagne, quand nous changions de train à Rosporden, ma sœur et moi, en route pour la vraie vie, ça sentait déjà l'algue à 15 km de la mer. Grand-mère venait nous chercher à la gare de Concarneau et tandis que nous nous installions sur les strapontins de la Hotchkiss, elle nous avertissait invariablement.

« J'espère que vous serez plus raisonnables que l'année dernière, mesdemoiselles, sinon, je vous renvoie chez vos parents. »

Je n'imaginais pas pire disgrâce que d'être à Paris au mois d'août sinon d'y être en juillet ou en septembre. Ce respect des mois d'été, je n'ai jamais pu le perdre et c'est à cause de lui que j'ai choisi pour métier l'enseignement. Nous partions toujours le soir même de la distribution des prix et je considérais mes amies que la désinvolture de leurs parents maintenait en ville parfois jusqu'au 14 juillet, comme des enfants martyrs.

Nous traversions Concarneau comme des promises émues, guettant les étapes familières, la Mercerie-Alimentation où nous achetions des canifs pour jouer « au couteau » sur le sable, la crêperie où officiait la Bigouden coxalgique, la coiffe toujours penchée pour ne pas heurter la cheminée, l'ancienne criée aux poissons près du phare qui préludait au quartier des plages et enfin l'hôtel Beau-Rivage qui, comme son nom l'indique, s'ouvrait sur une ruelle sans vue derrière chez nous. Pauvres enfants qui allaient à l'hôtel, une année à Beg-Meil, une année à Bénodet ou, pire, à Cannes ou Juan-les-Pins, et qui devaient chaque année se lier avec de nouveaux arbres, apprivoiser des rochers inconnus ! Nous, nous REvenions chaque année, nous REtrouvions notre chambre avec son odeur de moisi et de cretonne à fleurs après le long entracte de l'hiver, nous REconnaissions le crissement du gravier dans la grande allée et le claquement des sabots des sardinières sur la route. Les enfances profondes se font avec des RE...

On arrivait à *Ty Bugalé* « par-derrière », du côté nord et ingrat de la maison, en ces temps où l'on ne se croyait pas obligé de réserver aux automobiles une chambre en façade et la vue sur la mer. Avant même d'embrasser les cousins, nous courions voir par-dessus le mur hérissé de tessons de bouteille chers aux propriétaires français si les récifs de Bass Crenn et de Pen ar Vas Hir étaient fidèles au poste. Ils nous faisaient toujours la joie d'être là, juste où l'œil exercé par une amoureuse habitude les cherchait. Cette année encore nous irions à grande marée y pêcher des bichichis — il s'agit comme chacun sait de l'*Acanthocottus bubalis* —, ou le mythique hippocampe, si beau et qui s'obstinait à vivre dans les mares à portée de l'homme, ce qui lui aura coûté les siècles de vie, les millénaires peut-être, encore inscrits dans son devenir.

Guérit-on jamais de ces vacances-là?

Je n'ai de mon existence passé un été sans la Bretagne. C'est comme d'aller voir sa mère : ça ne se discute pas. Et cette route du Finistère, c'est mon artère coronaire : elle mène tout droit au cœur.

De ces trajets heureux, j'ai gardé un goût enfantin pour les voyages. Pas à Mach 2 ni à 30 000 pieds. Les voyages-leçons de choses comme j'en faisais avec mon père; ma mère et ma sœur s'installaient derrière, ravies d'être ensemble, d'échapper à la lecture des cartes et aux commentaires paternels sur la géologie, la botanique ou l'histoire ancienne.

« Campus Eneacus, répétait Pater avec un plaisir toujours neuf en traversant Campénéac. Nous sommes sur une ancienne voie romaine, tu vois : elle est toute droite.

— Il est vilain(e) au roi de maltraiter la reine, Ille-et-Vilaine, chef-lieu Rennes, poursuivait-il chaque fois que nous entrions dans le premier des cinq départements bretons.

— Finis c't'air, ô ténor, où je vais décamper(e), ajoutait-il un peu plus loin. Finistère, chef-lieu Quimper ! »

Celui-là, je l'ai toujours haï. De cet apprentissage des départements date sans doute mon allergie aux calembours.

Dans les cas favorables, nous allions jusqu'aux sous-préfectures. L'Yonne était l'occasion de son triomphe.

« Un jour que j'avais une soif de lionne, je vis à quoi l'eau sert. J'y joignis en homme de sens une goutte de rhum, et me dis : Tonnerre, avalons ! (Yonne, Auxerre, Joigny, Sens, Tonnerre, Avallon.) »

J'ai tenté d'appliquer la recette pour mes filles en la mettant au goût du jour : 29, chef-lieu 29000, sous-préfecture 29200, 29210 et 29220. C'est le progrès.

Maintenant je voyage souvent seule mais je ne traverse jamais Campénéac sans dire à l'ombre de mon père : « Campus Eneacus, papa. Tu vois, c'est une ancienne voie romaine... »

J'ai seulement renoncé à le dire tout haut. Mes filles sont saturées et se moquent des voies romaines. Paul observe un silence indulgent. Il faudra attendre l'âge du radotage pour ressortir enfin tout ça. Ou bien la solitude qui permet aussi de radoter en paix.

Aujourd'hui je pars seule justement. Paul n'a pas voulu voyager en compagnie de la tondeuse électrique, du buddleia bleu, des trois rosiers grimpants et de l'incinérateur de jardin. Et encore, je ne lui ai rien dit pour les six tasses à petit déjeuner, mes deux kilos de papier de toutes les couleurs pour écrire, la toile cirée unie et les tuteurs en bambou du *B.H.V.* achetés pour échapper au vert impie des tuteurs de plastique sculptés façon bois. Tout cela dissimulé dans une honnête valise à vêtements, mais Paul flaire ces choses-là...

« On ne trouve donc pas de tasses à Concarneau ? » va-t-il me dire en m'aidant à remplir le coffre, la réprobation peinte sur son visage.

Je ne répondrai même pas. Nous savons tous les deux que c'est incurable : il aime les voitures qui brûlent 14 litres aux cent et qui ne transportent que du vent et je ne suis satisfaite qu'avec six chaises sur mon fixe-au-toit... qui déshonore selon lui une carrosserie.

Il faut toujours huit heures pour aller de Paris au bout du Finistère (ô ténor...). Jusqu'ici l'autoroute ne dépassait pas les résidences de banlieue, main réticente tendue vers la Bretagne à la mesure de l'intérêt de l'Etat français pour cette province délaissée. Délaissée mais aussi dépossédée. « Défense de cracher par terre et de parler breton », enjoignait délicatement le ministre de l'Instruction publique sur des affiches que chaque maître devait placarder dans les écoles de ce pays qui s'obstinait à baragouiner [1]. Depuis un an, chichement, la main s'est avancée jusqu'à Chartres. Mais en cette année 1974 les ponts provisoires, les toboggans improvisés, les itinéraires de délestage et les grands échangeurs pas finis font de la sortie de Paris une épreuve dont le technocrate sort vainqueur et l'usager fourbu. Depuis trente ans, c'est en rêvant que je prenais la route de la Bretagne, après avoir branché mon pilote automatique. L'implosion de ce fidèle serviteur vient de m'apprendre brutalement que je n'avais plus les moyens de rêver au volant. Passé un certain âge, il est en effet dangereux de changer d'automatismes... Je commence à entrevoir comment on meurt, comment on accepte de mourir plus exactement : on est tout simplement éjecté du manège et l'on s'enfuit sans demander son reste parce qu'on ne se sent plus capable de tourner avec les autres. Je détecte déjà les signes avant-coureurs de mes incapacités à venir, car dans nos civilisations techniques, il existe mille et une façons de présenter le cocotier...

Les nouveaux francs m'ont cueillie de justesse, je n'en étais pas encore à la moitié de mon âge (je prévois en effet de vivre cent ans). Bien sûr, je regrette les anciens, les vrais ! Dix mille francs ne feront jamais autant pour moi qu'un million. Quand j'annonce à Paul le prix d'un nouvel arbuste que je viens d'acheter pour mon jardin, qui est déjà plein à craquer mais cela n'a jamais été une raison pour moi de me refuser un arbre, je dis d'un air détaché :

1. Seul mot français à étymologie bretonne : bara veut dire pain et gwin, vin.

« Il ne vaut que 94,50 F ! »

Mais quand Paul s'offre un nouveau moulinet alors que tous nos tiroirs sont pleins de moulinets désaffectés, mais cela n'a jamais été une raison pour lui de se refuser un engin de pêche, je remarque.

« Il coûte tout de même 9 450 F, ton truc ! »

Mais enfin dans l'ensemble, au prix d'une intense gymnastique mentale, je parviens à rester dans le circuit... à condition que les sommes ne dépassent pas 6 chiffres. Au-delà, je n'intègre plus. Je compte comme les Balubas, 1, 2, 3, beaucoup.

Deuxième cocotier de la vie moderne : les grands échangeurs précisément. Au-delà de cinq panneaux de signalisation dont les indications, sigles et symboles sont à déchiffrer simultanément sous peine de mort, j'atteins le seuil de saturation. La main sur le changement de vitesse, le pied suspendu entre l'accélérateur et le frein, un œil sur le rétroviseur pour savoir dans quelle mesure je pourrai tourner s'il faut tourner, l'autre œil, celui de Champollion, sur les panneaux pour décrypter leurs hiéroglyphes, le troisième sur les multiples rubans qui s'entrecroisent devant moi, je ne suis plus qu'un rat de laboratoire stressé par des signaux contradictoires. L'expérience montre que deux solutions s'offrent au rat : devenir fou et échapper ainsi à l'angoisse, ou bien assumer et développer un eczéma géant. Je n'ai pas d'eczéma. Mais déjà je grommelle toute seule au volant et j'insulte l'univers.

« A13... C'est Chartres ou c'est Rouen, A13 ? Avec cette manie des chiffres à la place des mots, quels imbéciles... Ah ! bon : SERREZ A DROITE. Alors allons-y. Flûte ! VOIE RÉSERVÉE AUX VÉHICULES LENTS... Quatre 15 tonnes à remorque, qui soi-disant roulent pour moi, me bloquent le passage ! Quels emmerdeurs, ces mecs !... Ah ! DIRECTION PONT DE SÈVRES, ça doit être bon pour moi, ça... Crrric, passons en troisième. Et merde, me voilà enfilée sur MEUDON-CENTRE VILLE. Comment j'ai fait mon compte ? Et la voilà ma belle autoroute, qui s'éloigne à gauche dans une gracieuse et ironique volute, déjà séparée de ma rocade par un terre-plein infranchissable qu'on a mis là uniquement pour empoisonner les gens, c'est évident. Il aurait fallu prendre à temps la file de gauche pour l'embouquer. A temps, c'est-à-dire où et quand ? « Avec le temps, va, tout s'en va... » C'est rudement vrai, Léo. J'ai bien une carte des autoroutes sur le siège voisin, mais le temps de mettre mes lunettes, car, je l'ai dit plus haut, j'entame la mauvaise moitié de mon âge, le feu rouge, ce salaud, est passé au vert. Je pose vite la carte et je démarre dans un monde étrangement flou où je ne distingue pas l'adversaire à dix mètres. Tiens ? La brume. Pauvre gourde ! C'est toi qui as oublié de retirer tes lunettes... Je les pose rapidement sur mes genoux perdant ainsi le dixième de seconde qu'il m'aurait fallu pour repérer entre deux camions géants le panneau enfin en langage clair : AUTOROUTE DE CHARTRES, et je suis inexorablement ramenée vers Meudon-Centre ! C'est le jour du marché bien sûr et je ne me dégagerai de la pittoresque localité que quinze minutes plus tard.

« Tu iras jusqu'au pont de Sèvres, après c'est indiqué », m'avait dit cette brute de Paul pour qui les problèmes des autres sont toujours très faciles à résoudre.

Oui, mais TOUT est indiqué : les ponts, la vitesse à respecter, la file à ne pas prendre, les travaux en cours, les projets de travaux, qui finance les travaux, la ville ou le Fonds d'aménagement routier, qu'est-ce qu'on s'en tape, les itinéraires recommandés (qu'il ne faut prendre à aucun prix, m'a dit Paul)... tout cela défilant à 60 à l'heure parmi la cacophonie des poids lourds, Orangina à la pulpe d'orange et le Mammouth qui écrase les prix et toutes ces voitures particulières avec un seul passager par voiture, c'est tout de même honteux, ils ne pourraient pas s'entendre, tous ces gens ?... Bref, je fibrille.

Il est vrai que j'ai un cerveau de femme, j'aurais dû vous l'avouer plus tôt. C'est un ordinateur plus rudimentaire, dame ! Et qui comporte peu de circuits et absorbe moins de données. Je suis née comme ça et j'ai beau avoir fait des études dites supérieures, parce que j'ai eu la chance de naître au XXe siècle où, par suite du relâchement des mœurs, on a fini par nous ouvrir les portes des lycées et des facultés, comme on permet de guerre lasse à l'enfant qui vous a enquiquiné toute la journée de jouer avec la boîte à outils de papa, je ne parviens pas à me sentir l'égale de l'homme. L'homme conduit bien. Vite, mais bien, par définition. Ce n'est pas celle des assureurs, mais peu importe. Peu importe aussi que je n'aie jamais eu une aile enfoncée en vingt-cinq ans de conduite : il ne peut s'agir que d'un heureux hasard. Si je me range dans un créneau difficile, il est clair que je le fais moins bien que l'homme puisque les conducteurs derrière moi me traitent immédiatement de connasse. Dans la vie civile, ils s'effaceraient galamment pour me laisser passer, mais assis dans une voiture, la politesse ne les étouffe plus, ils redeviennent eux-mêmes, et sous prétexte que je n'ai pas la même chose qu'eux entre les jambes je ne suis plus qu'une débile congénitale à laquelle on a été fou de confier une voiture; en d'autres termes, une femme au volant !

Dans un dîner ou dans un train par exemple, on n'oserait jamais me dire que j'ai gagné mon manteau de fourrure avec mon derrière. En voiture, c'est différent. Un chauffeur de taxi, qui représente une opinion très répandue, m'a clairement fait savoir un jour que « sans mon cul » je ne serais pas en mesure d'encombrer la chaussée, chaussée que le gouvernement devrait bien réserver aux travailleurs.

Pendant des mois, j'ai pu contempler dans mon hebdomadaire favori un vendeur complice qui présentait à un mari une voiturette renforcée qui conviendrait spécialement à une femme, parce qu'elle ne coûterait pas trop cher à réparer chaque fois que Madame aurait essayé de la rentrer au garage.

Imagine-t-on le contraire ?

« Votre mari est une brute : il conduit trop vite. Conseillez-lui donc la Volvo, elle résiste mieux à l'enfoncement. »

Impensable. Pour combien de temps encore ?

Quand on quittait Paris autrefois par « le Bois », la ville lâchait pied en douceur, envoyant des tentacules élégamment maçonnés çà et là. On a peu construit de zones industrielles de ce côté, les réservant pour le nord et l'est où c'était déjà foutu et où vivaient les ouvriers. Vers l'ouest, un nouvel espace est né qui n'a pas encore de nom, une « zone » où tout est factice, les villes nouvelles, les faux villages, parfois jolis d'ailleurs, les verdures sur mesure. Plus un hectare de « campagne » au sens bête et ancien du mot. On est surpris, presque choqué, par l'apparition dans le champ visuel d'une ou deux fermes oubliées avec leurs rangées de choux, cultivés sans doute par des Indiens Oglala. La nature est réduite autour des constructions et sur les dévers de ce qu'on nomme aujourd'hui des axes routiers, à des piquets surmontés d'une maigre panache, alibis des bétonneurs, minables végétaux qui ne ressembleront un jour à des arbres que si les émondeurs les oublient. Espoir insensé. On nous a déjà escamoté le mot JARDIN ! Un ESPACE VERT se construit docilement, comme une H.L.M., et se meuble au GARDEN CENTER, tout se tient. Le GARDEN CENTER prédispose à l'ESPACE VERT, qui annonce le SUPPORT DE VERDURE, grisante abstraction conçue par des technocrates qui ne savent plus distinguer un hêtre d'un frêne et qui n'attendent qu'un moment d'inattention de notre part pour remplacer ces arbres ridiculement sensibles aux saisons et à l'oxyde de carbone par la verdure éternelle du polystyrène.

Pour justifier ces nains mutilés qui n'ombragent même plus nos routes, on entend beaucoup dire qu'une taille sévère fait du bien aux arbres. Il suffit de les voir dans le Massif central, par exemple, où on les a laissés vivre sans chercher à leur faire du bien. On reste saisi d'admiration devant ces patriarches intacts. On avait oublié que c'était ça, un arbre !

Puis on se réhabitue aux cyprès Lawson des haies familiales, aux fruitiers bien taillés, pour le rendement, et au saule pleurnicheur des jardinets trop léchés.

En revanche sur les axes routiers, le jacquesborel pousse mieux que les arbres. Et il se reproduit de lui-même, chaque jacquesborel donnant naissance à deux jacquesborel exactement semblables ! On n'y sert pas d'alcool entre les repas, la morale est sauve.

La beauté, la qualité, le charme, qu'ils aillent se faire voir ailleurs. Sur les petites routes par exemple.

C'est à partir du beau Perche vallonné que l'on retrouve un vrai paysage. Mais il reste une pénitence encore : la morne plaine de Beauce encore aggravée par la monoculture. Peut-on avoir la vocation agricole en parcourant ces champs démesurés ? D'homme d'affaires, oui. D'exploitant, peut-être. De paysan, c'est autre chose. Pendant un mois seulement le pays s'adoucit sous l'or vert des blés. Sinon, c'est Péguy qui a du talent.

Dès qu'on découvrait les deux clochers de Chartres, nous nous mettions à réciter du Péguy dans la C6 des parents, c'était un automatisme. « Ma Citron », disait mon père avec tendresse... Les Français ont adoré leurs Citroën. Péguy est heureusement interminable et réussissait à nous mener jusqu'à Nogent-le-Rotrou. Le plus dur était fait et je commençais à respirer l'air de la liberté. Car plus les années passaient et plus j'avais hâte de me retrouver en Bretagne parce que les vacances marquaient une pause de trois mois dans cet autre voyage où j'étais embarquée malgré moi et qui allait me conduire de la liberté indifférenciée de l'enfance à la dépendance de la femelle.

« C'est merveilleux d'être une jeune fille et d'avoir du succès, disait maman, tu verras. »

Moi je trouvais cela épouvantable, à cause du succès justement. C'est pourquoi j'ai été si laide à l'âge ingrat, pauvre maman ! Je crois que toutes les filles qui ont eu peur de leur féminité devenaient très laides quand elles se sentaient chassées de leur enfance et obligées d'afficher les stigmates de leur nouvel état. La notion d'âge ingrat a pratiquement disparu aujourd'hui et c'est bien réconfortant. Le mien fut interminable. L'idée que mon honorabilité future, ma réussite en tant qu'être humain passaient par l'obligation absolue de décrocher un mari, et un bon, a suffi à transformer la jolie petite fille que je vois sur mes photos d'enfant en une adolescente grisâtre et butée, affligée d'acné juvénile et de séborrhée, les pieds en dedans, le dos voûté et l'œil fuyant dès qu'apparaissait un représentant du sexe masculin.

La commisération et la cruauté avec lesquelles on considérait alors les vieilles filles, les rejetant dans le non-être, me terrorisaient pour mon avenir, alors que la pire mocheté, la dernière des imbéciles, mais mariée, ne faisait pas rire d'elle. Qui n'a connu dans nos milieux bourgeois le pauvre professeur de piano dont les enfants étaient presque autorisés à se moquer, la modeste répétitrice, vêtue comme une souris, ou la vieille servante dont la maîtresse de maison disait avec fierté : « Elle ne s'est jamais mariée pour rester avec nous ! »

Pourtant, par orgueil sans doute et par inaptitude sûrement, je me dérobais à ces indispensables manigances où je voyais s'épanouir avec grâce ma sœur cadette et tant de mes amies. Je ratais régulièrement mes mises en plis; on m'avait pourtant fait faire une indéfrisable pour mes seize ans.

« Mais enfin, regarde-toi, disait maman accablée, tu t'es encore fait des frisettes de demoiselle des Postes ! »

J'enviais les demoiselles des Postes qui pouvaient se friser tranquillement. Je ne voulais pas me maquiller, le mot me paraissait humiliant. Je n'osais pas remuer les fesses en dansant la rumba ce qui fait qu'on ne m'invitait pas deux fois. On m'a donné des leçons de rumba mais c'est dans ma tête qu'était la raideur. On m'a acheté des chaussures spéciales pour que je marche droit et une chaise médicale avec des lanières pour me maintenir les épaules en arrière et « pour que tu n'aies pas une position de vaincue ». On a tout fait pour moi. Et puis, comme je ne manifestais aucune disposition spontanée, vers dix-huit ans, on m'a mise au bout d'un hameçon et on a laissé pendre le fil dans les milieux présumés favorables.

Je me souviens d'un séjour à Saint-Moritz. Le ski dans la journée avec mon père, le sport, la liberté, les chaussettes tyroliennes, les godillots, le bonheur. Le soir, la pêche avec un ensemble à la mode, escarpins assortis, et maman sur la rive qui surveillait le bouchon. J'aurais été capable de ne pas voir une touche !

D'abord, on ne m'invitait pas souvent à danser malgré le costume de velours noir à soutaches qui sur ma sœur rendait si bien. Ensuite, quand enfin j'accédais à la piste, élue par un danseur magnanime, la nécessité de paraître désirable me transformait en larve. Le danseur ne revenait généralement pas pour la suivante alors qu'on ne revoyait pas Flora de la soirée à la table familiale, et maman disait, découragée, à mon père :

« Ça ne m'étonne pas. Tu as vu, André, elle suit son danseur la tête en avant comme si elle allait à l'abattoir ! »

Faire tapisserie... Une expression dont seules les filles qui en ont fait les frais connaissent la dimension d'humiliation et d'impuissance. Les heures qu'on passe à faire semblant de ne pas attendre, à compulser les disques, à fouiller dans son sac de soirée à la recherche minutieuse de... rien, à guetter sans en avoir l'air le garçon qui vous plaît mais que les usages ne vous autorisent pas à crocheter, pour souhaiter vers minuit que n'importe quel avorton s'approche et vous donne vie.

Ces bals, ces soirées, c'était mon épreuve du feu, toujours loupée, sur des champs de bataille que je n'avais pas choisis et que je quittais à chaque fois plus vaincue et plus furieuse.

André, mon Pater, s'en moquait bien. Il m'aimait comme ça. Mais pour l'éducation, il faisait confiance à ma mère : en séduction, elle s'y connaissait. Et il fallait bien que je devienne séduisante, n'est-ce pas ? Une fille n'a pas le choix et une licence de lettres ne remplacera jamais la séduction. Au contraire.

Les années passaient, le succès ne venait pas. J'étais si sûre d'être moche et maladroite, si persuadée qu'une fille en combinaison constituait un spectacle immoral, ridicule et répréhensible, que je n'ai pratiquement pas eu le courage d'enlever ma robe devant un garçon avant vingt-quatre ans, date d'un mariage si tardif que mes parents commençaient à croire qu'ils ne me caseraient jamais et que j'avais bien fait en somme d'entreprendre des études.

Pour une mère, le mariage de son fils n'est ni une victoire ni l'aboutissement d'une éducation. Mais quand il s'agit d'une fille, les parents cachent mal leur soulagement. Ouf ! Par le truchement d'un homme, elle est enfin à sa place dans la vie. Pour le reste, elle se débrouillera, l'essentiel est acquis. J'admettais ce point de vue désolant avec résignation. On se révoltait peu contre l'autorité familiale, surtout les filles, aux alentours de la dernière guerre.

Même alors, je restais si convaincue de la répugnance native des hommes pour le corps féminin tel qu'il est, qu'au cours d'un week-end probatoire avec mon fiancé — je me souviens, c'était à l'hôtel du Chêne-Vert à Beaugency et nous avions acheté deux anneaux de rideau à Luniprix pour paraître mariés — je m'étais relevée chaque matin à l'aube pour me laver, me coiffer et remettre mon collier de perles *(sic)* afin que Pierre ne soit pas rebuté en me trouvant à ses côtés au réveil. Je croyais qu'il fallait cacher sa nature féminine pour plaire. J'avais vingt-trois ans et demi. Il n'y a pas de quoi rire. Pierre m'a tout de même épousée et j'ai été très heureuse avec lui, jusqu'à sa mort, un an plus tard.

Quand suis-je devenue féministe ? Je ne m'en suis même pas aperçue. C'est arrivé beaucoup plus tard et sans doute parce que j'avais eu tant de mal à devenir féminine. Toute cette jeunesse paralysée par le trac de ne pas correspondre à la définition imposée, donc de ne pas trouver preneur, m'est remontée à la gorge quand j'ai vu la jeunesse de mes trois filles, leur liberté. La vie n'est pas devenue facile pour elles, bien sûr. La liberté n'est pas facile pour soi-même et moins encore pour les autres... Mais du moins les problèmes qu'elles rencontrent ne sont-ils plus liés à cette désespérante notion de « vraie femme », hors de laquelle il n'était pas de salut et qui exerce encore ses ravages aujourd'hui.

Comme les rats de laboratoire dont je parlais tout à l'heure, en face de cette notion révoltante j'avais le choix entre deux solutions : écrire un livre féministe ou développer un eczéma. Là encore, je n'ai pas eu d'eczéma.

Je commence demain mais j'y pense depuis longtemps; depuis toujours sans doute. Comment peut-on être une femme ? C'est un peu *Comment peut-on être Persan ?* ou le *Comment peut-on être Breton* de Morvan Lebesque. Car la féminitude aussi est une patrie.

« Tu as tout ce qu'il te faut, Breton ! Ton petit chapeau, ton petit costume, ton petit biniou... Mais pas de Glenmor à la télévision. »

Toi aussi, Femme, tu as tout ce qu'il te faut : ton petit mari, tes petites robes, ton petit balai... Mais pour le M.L.F., pas de ça, Lisette.

Je ne suis pas inscrite au M.L.F. Ou trop vieille... ou trop heureuse... ou trop privilégiée dans ma vie personnelle pour avoir le courage de militer. Mais mon cœur est avec ces femmes et ces filles-là, sans lesquelles *rien* ne se ferait. Pour ne parler que de la dernière bataille, sans Bobigny, sans le M.L.A.C., sans Choisir, pourquoi le gouvernement se serait-il lancé dans cette difficile aventure qu'était la révision de la loi de 1920 ? Comment aurait-il osé présenter un projet qui déchirait sa majorité et ne plaisait qu'à l'opposition ? Jamais les *millions* d'avortées silencieuses ne l'y auraient contraint.

Je suis reconnaissante aux femmes américaines qui ont brûlé symboliquement leurs soutiens-gorge; toute révolte a besoin de symboles. Et même à Valérie Solanas qui a tiré sur Andy Warhol sous prétexte qu'il la transformait en femme objet. Il est fatal que des femmes en arrivent parfois à des gestes comme celui-là. « Nous sommes tous des juifs allemands », criaient les étudiants de mai 68. Nous aussi d'une certaine façon nous sommes toutes des prostituées. Et même les femmes qui les haïssent ont bénéficié du courage de chacun des mouvements féministes. J'aimerais qu'elles le sachent ou qu'elles le sentent, car c'est le livre de l'amitié que je voudrais écrire, ou plutôt le livre de ce qui n'existe pas encore, d'un sentiment et d'un mot qui ne sont même pas dans le dictionnaire et qu'il faut bien appeler, faute de mieux, la « fraternité féminine ». C'est peut-être pour cela que j'ai voulu l'écrire ou du moins le commencer dans ce pays qui me tient chaud.

Quand on entre en Breizh, c'est par ce département... d'Il est vilain au roi de maltraiter la reine... qui pourrait servir d'exergue à mon livre. C'est un signe. Déjà depuis Laval apparaissent des signes avant-coureurs, un buisson d'ajoncs, un camélia timide et pas encore très heureux. Et puis soudain, à partir de Vitré, le paysage se bretonnise, malgré le remembrement qui s'est acharné à le détruire, à le mettre au cordeau, à l'aligner. Des milliers de kilomètres de murets en pierre sèches, édifiés par des ancêtres celtes qui connaissaient leur terre et leur climat, ont fait place aujourd'hui à de pittoresques clôtures de barbelés reliées par des poteaux de ciment, distribués gratuitement par l'Etat aux paysans qui acceptaient de raser leurs talus. Les Ponts et Chaussées, encouragés par des primes pour chaque kilomètre détruit, ont extirpé les haies de genêts et d'ajoncs qui doraient la Bretagne, arraché les chênes têtards pleins d'oiseaux, les aubépines inutiles puisqu'elles ne servaient qu'à annoncer le printemps, et les ronces, ces barbelés naturels porteurs de confitures gratuites. Entre Redon et Rennes c'est le spectacle désolant d'un champ de bataille où les morts seraient les arbres, énormes souches centenaires entassées au milieu de ces champs qui pourraient désormais se trouver en Normandie ou dans l'Oise, tout comme les abords de Poitiers ou de Rodez ressemblent maintenant à ceux de Dijon ou de Lorient.

On retrouve par ici quelques-unes de ces fermes de jadis que Mansholt a vouées aux gémonies. Il en meurt cent par jour depuis dix ans, de ces fermes-là. Depuis dix ans, cent familles se sont défaites chaque jour, cent chefs de famille sont arrivés chaque jour aux portes des usines de banlieue, avec au cœur la honte d'avoir lâché la terre et leur expérience profonde qui n'intéressait plus personne. Et tous ces vieux qui auraient encore pu rendre des services à la ferme, garder les vaches, prédire les gelées, et qui sont maintenant assis sur les bancs des hospices, leurs mains inutiles sur les genoux, à demi refermées comme si elles gardaient encore la forme de l'outil, tous ces vieux sont morts depuis longtemps malgré les apparences.

On rencontre encore ici des cochons heureux, vautrés dans la boue satinée des mares, et des poules qui ne connaissent pas leur bonheur d'échapper aux éleveurs modernes. Et l'avenir nous fait si peur que nous nous attendrissons parfois sur le pire passé. Après Paris et ses gaz délétères, après la Beauce et le relent putride de ses engrais chimiques, voilà que je me surprends à humer avec affection une odeur familière... pour m'apercevoir que c'est la vigoureuse senteur du fumier humain épandu au printemps sur les terres, faute d'engrais azotés... Mmmm ! Infect mais si vrai !

Dans une de ces exploitations condamnées, belle et triste ferme faite de ce granit violet du Morbihan, chaume échevelé et terres en friche, une vieille femme en coiffe, la chère fidèle, menait au pré deux ou trois vaches noires et blanches. Dans la cour boueuse, en contrebas de la route, sur un fil tendu entre deux pommiers, séchait une lingerie stupéfiante qui n'était visiblement pas la sienne : slips violets, bas de dentelle noire, combinaisons brodées de strass... Pigalle au vert à Locminé ! Tout le drame de la Bretagne était inscrit là, en raccourci. « A notre époque, 75 p. 100 des prostituées mineures sont des déracinées venues des régions rurales, Bretagne et Normandie en tête [1]. » La grande ville t'attendait, Maryvonne. Tu avais bien appris ta leçon : Défense de cracher par terre et de parler breton.

Moi en revanche, qui suis née à Paris, j'ai racheté il y a vingt ans une de ces chaumières de granit où tes aïeuls ne voulaient plus habiter et qui symbolisent pour nous le bonheur, et je suis fière de dire kenavo.

Quand j'arriverai chez nous ce soir, ce sera marée basse. C'est ainsi que je préfère la mer : vaincue, retirée mais hypocrite, laissant une frange de ses trésors à nu et feignant la soumission. J'adore cette comédie incessante qu'elle joue, faux-derche cherchant sans cesse une occasion pour se venger de sa défaite biquotidienne qu'elle n'encaisse pas, qu'elle n'encaissera jamais. A moins que l'homme, monstrueux, ne parvienne un jour à neutraliser les marées. Grâce au Ciel, c'est le cas de le dire, il n'y a toujours rien compris. On dit con comme la lune, pourtant...

1. *Histoire de la prostitution* par Dominique Dallayrac. Ed Laffont.

CHAPITRE PREMIER

L'INFINI SERVAGE

> « Quand sera brisé l'infini servage de la femme, l'homme, abominable jusqu'ici lui ayant donné son congé, alors elle sera poète elle aussi... »
>
> ARTHUR RIMBAUD.

JE n'avais pas envie d'écrire un roman. Mais un je-ne-sais-quoi. Un fourre-tout. Un livre qui parle des femmes qu'on qualifie aujourd'hui de M.L.F. dès qu'elles s'avisent de broncher; de la nature qu'on appelle l'environnement comme si elle n'existait que pour nous servir d'écrin; de la Bretagne que l'on baptise région de l'Ouest pour mieux la désincarner; des jardins qui consolent; de la mer qui se moque si royalement des humains — pour combien de temps encore ? —, des livres que les femmes se mettent à écrire maintenant et qui disent enfin les choses jamais dites, par nous parce qu'on nous persuadait qu'elles étaient sans importance, par les hommes, parce qu'étant hommes précisément, ils ne pouvaient pas les connaître. Et puis ce sont les femmes qui ont tout envahi; sans doute parce qu'aujourd'hui, elles sont devenues le grand sujet, le point d'interrogation, le problème, l'espoir.

Pendant tous ces siècles, happées dans un vertige climatisé, nous vivions comme on nous enjoignait de vivre, pensions comme on nous imposait de penser, jouissions comme on nous permettait de jouir. Ici, vous pouvez... là, c'est laid. Et notre docilité devant les lois de la société camouflées en décrets de la Providence paraissait si congénitale, on s'était si bien habitué en haut lieu à nous voir rester à notre place, que l'on est stupéfait, voire indigné aujourd'hui, devant cette soudaine agitation qui s'est emparée de tant de femmes. Harpies domestiques ou Messalines, saintes femmes ou putains, mères dévouées ou mères indignes, d'accord. Ce sont des types codifiés et admis et nous restons dans nos rôles. Mais que nous nous mêlions de repenser chaque acte de la vie selon notre optique à nous, de tout remettre en question depuis le « Tu enfanteras dans la douleur » si longtemps subi comme une volonté divine, jusqu'au schéma du bonheur humble et passif mitonné pour nous par Freud, notre Petit Père, voilà qui paraît indécent et inadmissible. Les hommes ont toujours été ravis quand nous étions capricieuses, coquettes, jalouses, possessives, vénales, frivoles... excellents défauts, soigneusement encouragés parce que rassurants pour eux. Mais que ces créatures-là se mettent à penser, à vivre en dehors des rails, c'est la fin d'un équilibre, c'est la faute inexpiable.

Je sais tout cela. Quelle femme peut l'ignorer ?

C'est donc bien consciente de mon démérite et sachant que je ne bénéficierai plus du sourire paternel réservé aux ouvrages de dames que j'entreprends d'écrire un ouvrage féministe. Je sais que j'aurais mieux fait d'écrire un roman féminin. On aurait continué à me dire galamment dans les salons :

« Ravi de vous connaître. Ma femme a adoré vos livres, *Le Piano à quatre mains* surtout... »

Et j'aurais continué à esquisser un humble sourire de remerciement, résignée au fait que les auteurs à seins ne soient lus que par des lecteurs à seins. Et si dans un sursaut d'amour-propre, tout en maintenant mon sourire aimable car une femme doit rester charmante, j'avais ajouté : « Parce que vous, bien sûr, les livres de femmes ne vous intéressent pas ? » les maris en question auraient souri avec courtoisie en s'excusant de n'avoir de temps que pour les choses sérieuses. Ils lisent, bien sûr, ces hommes-là, mais des livres d'hommes, des livres normaux, quoi ! Evidemment, mes livres à moi parlent d'amour. C'est un sujet si féminin... quand il est traité par une femme. Mais quand c'est Flaubert qui décrit l'amour, cela devient un sujet humain. Il n'existe pas de sujet masculin pour la raison irréfutable que la littérature masculine c'est LA littérature ! Quant à la littérature féminine, elle est à LA littérature ce que la musique militaire est à LA musique.

Avec ce machin-là, je sais que je vais entrer dans la catégorie des emmerdeuses qui ne méritent même plus la courtoisie.

« Ne me dites pas que vous allez écrire un livre M.L.F. ? Alors là, vous pouvez être sûre qu'aucun homme ne vous lira. Et vous ennuierez la plupart des femmes, qui grâce au Ciel sont encore de vraies femmes. »

On verra bien. J'en ai envie.

« Si tu fais ça, au moins évite de parler d'utérus ou de clitoris, je t'en prie, me dit un ami que j'aime beaucoup et qui croit aimer beaucoup les femmes. Tu sais, les hommes ont horreur de ça. »

Merci, on s'en était aperçu.

En somme, il faudrait écrire des histoires de dames qui n'ont aucune idée subversive et qui ne possèdent pas d'organes spécifiques. On en a d'ailleurs beaucoup écrit qui répondent à cette définition. A la satisfaction générale.

« J'aimais bien tes romans, tu ne vas pas te mettre à pondre des trucs ennuyeux ? m'a demandé une amie qui me veut du bien.

— Ah ! encore un livre sur les femmes ! On ne parle plus que de ça. Tu n'as pas peur que les gens en aient assez ? »

C'est la première fois dans l'histoire que les femmes prennent véritablement la parole, après vingt siècles et plus de littérature virile, et on voudrait leur faire croire qu'elles ennuient déjà ? Allons, mesdemoiselles, la récréation est terminée, veuillez regagner vos places ! A-t-on jamais songé à l'injustice, au monstrueux déséquilibre que représenteraient dix siècles de littérature uniquement féminine d'où émergeraient de loin en loin un Louis Labbé, un M. de Staël, dont on expliquerait qu'il écrit parce qu'il porte « le deuil éclatant du bonheur », ou un Georges Sand, obligé de se rebaptiser Georgette pour être pris au sérieux ? C'est quand on inverse les situations que l'on s'aperçoit de la réalité féminine.

Quant à l'homme qui occupe depuis vingt-cinq ans auprès de moi le poste délicat de mari féministe, race extrêmement peu répandue et dont les contrefaçons sont innombrables, il ne voudrait pas que je me laisse entraîner à des positions excessives qui répugneraient à sa nature et à la nature des choses... des choses de notre vie. Il n'est pas de ceux qui proclament, persuadés de s'acquérir ainsi le droit à notre reconnaissance : « Moi, j'adore les femmes, mais... » Ceux qui adorent les femmes, mais... sont les mêmes que ceux qui ne sont pas racistes, mais... Il n'adore pas les femmes puisqu'il les aime. Toute adoration est suspecte. On ne se méfie jamais assez des contrefaçons.

Malgré tout cela, il faut la dire cette « parole de femme [1] » que trop de « superbes parleurs » depuis trop de siècles ont réduite à l'inexistence ou au chuchotement. C'est une question de justice, de liberté mais peut-être aussi de survie. On a trop longtemps pris notre goût du bonheur pour un signe de médiocrité et notre dégoût de la guerre ou de la violence pour un signe de faiblesse. On a trop longtemps pris la parole de l'homme pour la vérité universelle et la plus haute expression de l'intelligence, comme l'organe viril constituait la plus noble expression de la sexualité. La nature se moque de ces hiérarchies. Pour elle il n'existe pas de bons et de mauvais organes. « L'inconscient ne connaît pas la différence des sexes [2] » et « le *ça*, cette chose par laquelle nous som-

1. Qu'exprime d'une manière si neuve Annie Leclerc dans un livre qui porte ce titre, paru chez Grasset en 1974.

2. Lacan.

mes vécus, ne fait pas plus de différence entre les sexes qu'entre les âges [1]. »

Toute cette tragi-comédie de la supériorité du mâle dans l'espèce humaine, qui trouve son illustration extrême dans les sociétés musulmanes, n'aura finalement abouti, quels que soient les avantages marginaux que les hommes ont pu en retirer, qu'à un seul résultat : annuler le potentiel humain de la moitié de la population et priver chaque pays de 50 p. 100 de ses forces vives.

On recherche aujourd'hui de nouvelles sources d'énergie, il faudrait peut-être penser aux femmes. La *mulier* aussi est *sapiens.* Qu'elle le dise enfin et qu'elle dise la vérité de son corps à elle, aussi universelle et riche et belle, sinon plus, que celle de l'autre corps. Qu'elle la dise sans honte et sans crainte, même s'il faut pour cela évoquer parfois le ronsardien vocable...

Aussitôt que l'Aurore eut quitté le séjour
De son vieillard Tithon pour allumer le jour
Clitoris s'éveilla et pria son ami
De ranimer l'ardeur de son corps endormi.

Que Ronsard me pardonne cette extrapolation.

Il faut enfin guérir d'être femme. Non pas d'être née femme, mais d'avoir été élevée femme dans un univers d'hommes, d'avoir vécu chaque étape et chaque acte de notre vie avec les yeux des hommes, selon les critères des hommes. Et ce n'est pas en continuant à lire les livres des hommes, à écouter ce qu'ils disent en notre nom ou pour notre bien depuis tant de siècles que nous pourrons guérir.

1. Groddeck.

« Qu'est-ce qui leur prend, soudain, aux femmes ? Voilà qu'elles se mettent toutes à écrire des livres. Qu'ont-elles donc à dire de si important ? » demandait récemment un hebdomadaire qui ne s'était jamais posé la question de savoir pourquoi les hommes écrivaient, eux, depuis deux mille ans et ce qui leur restait encore à dire !

Il nous prend sans doute que nous en avons assez d'être des harkis et d'oublier notre vérité et nos intérêts pour servir ceux et celle des autres. Nous avons un immense retard à combler, tout un « continent noir » à découvrir. Et un immense amour à partager non plus seulement avec les hommes auxquels nous nous sommes vouées si exclusivement depuis si longtemps, mais avec toutes ces femmes refermées sur un secret qui n'a jamais intéressé personne et qu'elles sont en train de mettre au monde aujourd'hui très lentement, dans la douleur et l'émerveillement et l'amitié.

CHAPITRE II

UN SOUS-SECRÉTARIAT D'ÉTAT AU TRICOT

« L'homme tire sa dignité et sa sécurité de son emploi. La femme doit l'une et l'autre au mariage. »

JEAN FOYER,
ministre de la Justice, février 1973

C'EST clair, mon petit ? Que tu sois entrée première à Polytechnique, Anne-Marie Chopinet, que tu sois sortie major de l'E.N.A., Françoise Chandernagor, que tu aies reçu la croix de guerre, Jeanne Mathez, que vous ayez gravi à votre tour un plus de 8 000 mètres, petites Japonaises du Manaslu, que vous ayez élevé seules vos enfants dans les difficultés matérielles et la désapprobation morale, vous autres les abandonnées ou les filles mères volontaires, que vous soyez mortes pour vos idées, Flora Tristan, Olympe de Gouges ou Rosa Luxembourg, que tu aies été une physicienne accomplie, Marie Curie, alors que tu n'avais pas le droit de vote, tout cela et bien d'autres actes héroïques ou obscurs ne nous vaudra ni dignité ni sécurité. C'est un ministre qui l'a dit. Non, pas au Moyen Age. Pas au XIXe non plus, vous n'y êtes pas. En 1973. Il s'adressait à vous et à moi pour nous redire après tant d'autres que toute valeur pour la femme ne peut procéder que de l'homme. Y compris la maternité qui prétendument nous sanctifie, puisque aujourd'hui encore, malgré quelques exemples illustres, on veut voir dans la fille mère non la mère qui a fait son devoir mais la fille qui n'a pas fait le sien [1].

Pour être respectable, il ne s'agit donc pas d'être mère, il s'agit d'être mariée.

Un certain nombre de pétroleuses, soutenues par quelques utopistes mâles ont essayé depuis deux siècles de secouer ce joug, de penser et d'agir sans en demander l'autorisation à l'autre sexe. Elles ont péri sous le ridicule et les insultes des hommes, mais aussi, ce qui est plus désolant, sous le mépris hargneux de ces femmes qui constituent ce que Françoise Parturier a appelé la « misogynie d'appoint ». Comme tous ceux que la servitude a dégradés, les femmes ont fini par se croire faites pour leurs chaînes et sont devenues antiféministes comme tant d'esclaves du Sud furent esclavagistes et combattirent aux côtés de leurs maîtres contre leur propre libération lors de la guerre de Sécession. Bien des sentiments les poussent à se désolidariser de leur propre cause, l'intérêt, la prudence, la peur, une humilité savamment entrete-

1. La législation concernant les filles mères, qui date d'un édit d'Henri II, était féroce. Jusqu'à la fin du XVIIIe, les « filles séduites ou les veuves enceintes » étaient tenues de faire une déclaration de grossesse aux autorités locales. La fille mère dont l'enfant mourait avant d'avoir été baptisé encourait la *pendaison.*

nue, mais aussi l'amour, bien qu'il soit déchirant d'aimer qui vous opprime.

Il est de bon ton d'ignorer ou de dénigrer les féministes. Qui connaît leur histoire ? Leurs visages ? On préfère les croire laides, hommasses, hystériques, mal aimées, ce qui est faux. Le mouvement féministe, qui compte tant d'émouvantes figures, apparaît encore comme le combat de quelques vieilles filles refoulées et dévorées du désir de posséder un pénis, cette idée fixe des psychanalystes freudiens. Ce qui n'empêchait pas qu'on les traite simultanément de putains, l'inévitable injure ! Encore aujourd'hui, cette appellation reste l'insulte favorite de nos misogynes, il suffit de lire le courrier des lecteurs (non publié parce qu'impubliable) pour s'en convaincre. Leur haine s'exprime toujours avec les mêmes mots : Simone de Beauvoir, pas mariée, pas d'enfants, ne peut être qu'une putain. Françoise Giroud, qui a été mariée et a eu des enfants, en est une aussi. Et Delphine Seyrig et Bernadette Lafont et toutes ces comédiennes qui ne se contentent pas de jouer la comédie et toutes les femmes écrivains qui ne se contentent pas de raconter des histoires d'amour et n'oublions pas bien sûr les 343 femmes qui déclarèrent dans un manifeste fameux qu'elles avaient personnellement avorté. Celles-là n'étaient pas des femmes en lutte pour les droits d'autres femmes mais « 343 culs de gauche ». Technique du mépris aussi ancienne que les luttes féminines puisque les deux premières militantes qui firent campagne publiquement pour les droits de la femme aux U.S.A., Fanny Wright, fille d'un noble écossais, et Ernestine Rose, fille d'un rabbin, furent respectivement surnommées « la prostituée rouge de l'infidélité » et

« créature infiniment plus méprisable qu'une fille de joie ». La réaction de la société devant celles qui se battaient pour leurs droits a été d'une constance admirable à travers les siècles : aucune compréhension, aucune estime, pas de pitié et la répression par tous les moyens, le tout se masquant derrière un raisonnement parfaitement arbitraire dont on se demande comment il a pu servir si longtemps à justifier les privilèges des uns et l'obéissance des autres. Un raisonnement en forme de prison.

La sexualité ? C'était le phallus, et nous, nous n'avions qu'un creux à cette place-là, c'est-à-dire moins que rien. Quel malheur ! Il ne nous restait qu'à le supporter très humblement, ce que nous avons fait.

La maternité ? Elle aussi il fallait la vivre selon l'éthique masculine, non pas comme un merveilleux privilège mais comme une « fatalité biologique » ou bien « un simple désir de compenser notre handicap corporel[1] ». Affirmation renversante ! D'un côté le phallus, de l'autre le pouvoir de donner la vie... et c'est le phallus qui l'emporte ! C'est nous qui n'avons rien dans le ventre !

Admirable vocation, nous accordait-on, émouvant phénomène naturel, certes, certes. Grandes douleurs naturelles aussi, mais rédemptrices, croyez-moi. Et surtout pas trop de détails sur ce phénomène naturel car tout ça n'est pas très ragoûtant pour un homme, vous l'admettrez aisément. Alors vous allez accoucher gentiment dans un coin, derrière un paravent, parmi vos semblables et vous revenez quand tout est fini,

1. *Psychologie de la femme* par Hélène Deutsch, disciple préférée de Freud.

pas avant, et que vous êtes redevenues d'adorables choses, pour que nous puissions déposer nos hommages à vos pieds.

Quant à votre destinée d'être humain, vous êtes ainsi faites qu'elle ne trouvera son plein épanouissement que dans l'amour conjugal. Fonder et entretenir un foyer, c'est là votre véritable vocation.

— Vous ne trouvez pas bizarre, dit la femme doucement, que notre destin à nous soit toujours une fatalité biologique ou une vocation, c'est-à-dire quelque chose qu'il nous est interdit de refuser ?

— Mais c'est le Créateur qui l'a voulu ainsi en vous faisant douces et passives. Et si vous ne croyez pas en Dieu, vous ne pouvez récuser Freud qui a dit la même chose. Donc, jeunes filles, ne luttez pas contre votre nature et contentez-vous pour votre bien des trois magnifiques rôles que nous vous avons réservés. Si, si, magnifiques, vous verrez. (Et si vous ne voyez pas, c'est que vous n'êtes pas de vraies femmes, ça arrive mais c'est une maladie que nous savons soigner.)

1) Nous plaire grâce à votre beauté qu'il faudra soigneusement entretenir;

2) nous aimer grâce à votre capacité de vous donner, qualité qu'il faudra également cultiver,

3) nous servir enfin, nous et plus tard notre descendance.

Vous commencez par le 1, période charmante où vous aurez l'illusion d'être les reines. Avec un peu de chance vous passez au 2 et le 3 arrive insensiblement et sans douleur, vous serez étonnées. Et vous gagnez en prime notre cadeau Bonux, le mariage, fait sur mesure pour celles qui par suite d'une féminité bien assumée, doublée d'une éducation vigilante, ne savent aimer qu'en servant et servir qu'en aimant.

En un sens, notez, vous avez de la chance car ainsi vous évitez l'angoisse et les responsabilités qui sont le dur lot des hommes. Mais n'oubliez jamais vos devoirs, votre fonction sacrée, sinon vous tomberiez dans le ruisseau. Il n'y a pas de milieu pour une femme. Même là, d'ailleurs, vous pourrez encore compter sur notre indulgence : nous avons un emploi pour vous dans ce cas, un joli métier féminin qui a inspiré des pages riantes à nos plus grands écrivains. Vous n'aurez pas grand trajet à faire : le ruisseau est tout près du trottoir. Nous serons donc toujours là pour vous protéger, même dans la chute, car nous savons que vous êtes faibles et frivoles et nous vous pardonnons d'avance. Je dirai même que nous vous aimons ainsi.

Le seul cas pendable et qui justifierait que nous nous détournions de vous, c'est celui où, négligeant nos avertissements, vous voudriez nous singer et jouer les êtres libres, vous aussi. Vous n'êtes pas taillées pour ça, nous vous le répétons depuis le début. Comme Dieu le fit pour Adam et Eve, nous vous avons mises en garde : « Ne mangez pas de ce pain-là, chères créatures, sinon nous ne vous aimerons plus et alors vous serez très malheureuses. Forcément. »

Et nous avons cru ces beaux discours, nous avons cru qu'on ne nous aimerait plus si nous bronchions, menace enfantine démentie tous les jours par les faits. Adam et Eve, eux, n'avaient pas tardé à négliger le conseil de Dieu et à croquer le fruit de la connaissance. Pourquoi les femmes ont-elles obéi si longtemps ? Tout simplement parce que leurs compagnons n'hésitèrent pas à employer des moyens dont

Dieu lui-même aurait eu scrupule à user. Quand l'élevage en vase clos, la privation d'instruction, de toute capacité juridique et de tout droit civique ne suffirent plus à maintenir les femmes où l'on voulait qu'elles soient, on recourut sans hésiter à l'exclusion de la société et même à la peine de mort. Elles sanctionnaient l'ambition, l'esprit de révolte et le courage, toutes choses considérées comme des qualités chez un homme et des crimes chez une femme.

Au Moyen Age, des centaines de milliers de sorcières furent brûlées sur les bûchers d'Europe occidentale : la sorcellerie était alors un des rares moyens pour elles d'accéder à un certain pouvoir.

Plus tard, à chaque révolution, qu'elle ait eu lieu dans la jeune Amérique, dans le tiers monde ou en Europe, les femmes au début conquirent le droit de participer aux luttes contre l'oppression des privilégiés ou l'impérialisme des puissants, mais dans la nouvelle société, elles furent à chaque fois brutalement remises à leur ancienne place. Les notions de liberté et d'égalité ne semblaient jamais s'appliquer à cette moitié-là de l'humanité. Mieux, on les punissait d'y avoir songé. Par une admirable distorsion de la loi, pendant la Révolution française on condamnait pour « crimes politiques » des femmes auxquelles on refusait tout droit politique ! En fait, il s'agissait si peu de politique... elles étaient condamnées pour un seul motif, toujours le même : elles refusaient de se contenter du rôle d'épouse et de mère. Et c'est avoué en toute candeur, c'est écrit en toutes lettres, par des hommes qui se disent les défenseurs de la liberté et qui, dans le beau style moralisateur du XVIIIe, ne s'aperçoivent pas qu'ils profèrent des monstruosités.

Le Moniteur universel, 29 brumaire an II :

« En peu de temps, le tribunal révolutionnaire vient de donner aux femmes trois grands exemples qui ne seront sans doute pas perdus pour elles : Marie-Antoinette sacrifia son époux, ses enfants et le pays qui l'avait adoptée aux vues ambitieuses de la Maison d'Autriche... Elle fut *mauvaise mère, épouse débauchée* et elle est morte chargée des imprécations de ceux dont elle avait voulu consommer la ruine. Son nom sera à jamais en horreur à la postérité.

« La femme Roland, bel esprit à grands projets, philosophe à petits billets... fut un monstre sous tous les rapports. Sa contenance dédaigneuse... l'opiniâtreté orgueilleuse de ses réponses, sa gaieté ironique et cette fermeté dont elle fit parade dans son trajet du palais de Justice à la place de la Révolution prouve qu'aucun sujet douloureux ne l'occupait. Cependant elle était *mère* mais elle avait sacrifié la nature... Le désir d'être savante la conduisait à l'*oubli des vertus de son sexe* et cet oubli, toujours dangereux, finit par la faire périr sur l'échafaud. » (Quoi de plus normal pour l'auteur de cet article ? Il est intéressant de noter que la dignité, la gaieté ironique et le courage devant l'échafaud constituent chez la femme des circonstances aggravantes.)

Enfin, troisième « grand exemple », Olympe de Gouges. Elle aussi avait trop d'idées et de courage pour une femme, ce qui ne l'empêchait pas d'être belle et d'être aimée : un scandale. Elle avait publié en 1791 une Déclaration des droits de la femme et de la citoyenne que nous pourrions signer aujourd'hui : « Puisque les femmes ont droit à la guillotine, écrivait-elle, elles doivent également avoir droit à la tribune. »

Cette logique allait lui coûter cher.

« L'impudente Olympe de Gouges qui a *abandonné les soins du ménage* pour se mêler de la République », comme l'écrivait Chaumette, eut la tête tranchée le 13 brumaire, pour ce motif que l'opinion publique jugea tout à fait légitime : « Elle voulut être homme d'Etat et il semble que la loi ait puni cette conspiratrice d'avoir oublié les *vertus qui conviennent à son sexe.* »

Les motifs sont clairs, n'est-ce pas ? Rester femme sous peine de mort.

Pour inciter les femmes à cultiver les vertus qui conviennent à leur sexe (et dont la liste est gracieusement fournie par l'autre), pour leur épargner de nourrir des ambitions contre nature (nature qui est elle aussi définie par l'autre), le plus rationnel était de ne pas attendre 1789 pour leur couper la tête. Depuis vingt siècles, pour ne parler que de notre civilisation judéochrétienne, et mis à part les centaines de milliers de sorcières envoyées au bûcher, l'Eglise, la science et la morale se sont toujours entendues comme larrons en foire pour nous couper la tête en douceur, dès la naissance. C'est le moment où cela fait le moins mal et où l'intervention n'a pas de suites, l'intéressée ayant perdu jusqu'au moyen matériel de protester !

Il avait bien fallu nous octroyer une âme au concile de Nicée, mais attention ! l'âme aussi avait un sexe. La nôtre n'était pas de nature aussi divine que l'âme masculine. La preuve en était administrée illico par le même concile qui fixait la date de l'entrée de l'âme masculine dans le fœtus au 40ᵉ jour de gestation, mais au 80ᵉ seulement s'il s'agissait d'une fille. Dans un « cloaque [1] », l'âme a plus de peine à s'infiltrer. De plus, cette âme féminine était souillée chaque mois par la menstruation, au point que le concile, pour maintenir la pureté des saints lieux, dut interdire l'entrée des églises aux femmes pendant leurs règles. Tous ces faits n'apportaient-ils pas la preuve de l'infériorité féminine ?

Quant au cerveau dont on avait été obligé à regret de découvrir la présence dans notre boîte crânienne, lui aussi était un organe de second choix. On se basa lontemps sur son poids, inférieur à celui du cerveau masculin, pour conclure à une intelligence diminuée. Quand on découvrit que, proportionnellement au poids du corps, c'est le cerveau féminin qui était le plus lourd, on s'empressa de déclarer que le poids était un argument sans valeur, l'essentiel étant de maintenir une attitude ferme malgré les vicissitudes de la science.

Pour ce faire, et sans remonter à ces chers Pères de l'Eglise qui nous ont tant haïes, saint Paul en tête, les plus hautes autorités se sont toujours relayées à notre chevet pour nous mettrc en garde contre toute ambition personnelle, au nom de cette infériorité congénitale qui était également le lot de ces pauvres Noirs, tout juste bons à faire des esclaves, et d'une manière générale de tous les pauvres de ce monde, voués de naissance à servir de domestiques, de serfs ou de prolétaires. Versons une larme en passant sur l'être humain qui se trouvait à la fois femme, pauvre et Noir.

1. Définition de la femme par saint Augustin.

Les Noirs ont obtenu l'indépendance. Les prolétaires se sont unis. Les femmes seulement demeurent soumises et désunies, handicapées par le lien très spécial et souvent délicieux qui les unit à leurs « oppresseurs ». Pour elles seules le racisme reste un système honorable, appliqué dans la plupart des régions du globe et les « différentes formes d'aliénation dont elles sont victimes représentent actuellement la plus massive survivance de l'asservissement humain [1] ». D'elles seules les philosophes peuvent continuer à prétendre « qu'elles sont une propriété, un bien qu'il faut mettre sous clef, des êtres faits pour la domesticité et qui n'atteignent leur perfection que dans la situation subalterne » (Nietzsche).

Unis par un instinct de classe et de propriété, la grande majorité des penseurs confirment ce point de vue : « Une femme qui exerce son intelligence devient laide, folle et guenon. » (Proudhon.) « La femme est une statue vivante de la stupidité, le Créateur en la faisant d'un reste de limon a oublié l'intelligence ! » (Lamennais.) « La science est une chose très dangereuse pour les femmes. On n'en connaît pas qui n'aient été malheureuses ou ridicules par elle. » (Joseph de Maistre.) Il importait en effet de leur interdire tout moyen d'information pour éviter qu'elles ne s'aperçoivent, comme l'avaient fait les Noirs et les ouvriers, que leur infériorité n'était pas congénitale. On leur ferma donc toutes les portes sur la vie, hormis quatre : celles de la chambre à coucher, de la cuisine, de la buanderie et de la chambre d'enfants. L'avantage dans le cas des femmes c'est que chaque père,

1. Germaine Tillion, *Le Harem et les Cousins*. Ed. du Seuil.

puis chaque mari, détenait à domicile la personne à décerveler, ce qui facilitait l'action psychologique et rendait improbable toute révolte organisée.

Jean-Jacques Rousseau, au siècle des Lumières, vint donner sa caution aux éducateurs : « La femme est faite pour céder à l'homme et supporter ses injustices. Toute son éducation doit être relative aux hommes : leur plaire, leur être utile, les élever, jeunes, les soigner, grands, les conseiller, les consoler, leur rendre la vie agréable et douce. » Et Napoléon vint couronner le tout en définissant sans ambiguïté la place de la citoyenne dans la société par l'article 1124 de ce monument de misogynie qu'est le Code civil : « Les personnes privées de droits juridiques sont les mineurs, les femmes mariées, les criminels et les débiles mentaux. »

Le mécanisme fonctionnait d'ailleurs à merveille et l'on semblait même avoir trouvé là la formule du mouvement perpétuel :

a) Quelques grands hommes décrétaient que les femmes sont faibles d'esprit,

b) en conséquence, il devenait inutile de les instruire,

c) une nouvelle génération de penseurs pouvait alors constater qu'elles étaient ignorantes et sottes,

d) en conséquence, on concluait que les femmes étaient faibles d'esprit... et l'on repassait au *a*. On repasse toujours au *a* : le philosophe Alain disait un jour au professeur Mondor : « J'ai souvent envie de demander aux femmes par quoi elles remplacent l'intelligence ! » Il n'est pas encore tout à fait admis au milieu du XXe siècle que nous avons vraiment un cerveau.

Je voudrais signaler que ce... truc... a été employé avec succès un peu partout dans le monde et jusqu'en Chine où Confucius, dont le *Petit Larousse* dit qu'il est le « fondateur d'un système moral élevé qui met au premier rang la tradition familiale », affirmait : « La populace et les femmes sont ignorantes, poussées par de mauvais instincts et difficiles à éduquer. » On voit tout de suite quels avantages les privilégiés pouvaient tirer de cette « morale élevée ». Puisque le peuple et les femmes (décidément souvent réunis) sont difficiles à éduquer, ne les éduquons pas; on pourra alors prouver qu'ils sont ignorants. Quant aux mauvais instincts, ils sont rajoutés en prime, pour la caution morale... On voit aussi pourquoi Mao est parti en guerre, à juste titre, contre le confucianisme. Mais que les hommes se ressemblent d'un bout du monde à l'autre ! Ou plutôt que les puissants, que les mandarins se ressemblent !

L'histoire qui va suivre est lumineuse. Ne dites pas qu'elle est ennuyeuse et que l'on sait déjà tout cela. D'abord on le sait très mal. Ensuite il est fascinant de voir s'organiser avec une logique implacable et une virulence confondante l'ensemble des lois, des préceptes moraux et des raisonnements qui témoignent du refus quasi viscéral des hommes à admettre le moindre empiétement sur leurs privilèges. Ils ont lutté pas à pas, loi à loi, s'accrochant à toutes les branches, pour nous refuser des droits qui paraissent maintenant élémentaires et inoffensifs et que les esclaves noirs avaient souvent obtenus avant nous. Mais le sexisme est plus profond et plus endémique encore que le racisme. On trouve dérisoires ou ignobles aujourd'hui les prétextes qui ont servi hier à nous priver de liberté, sans s'apercevoir que les procédés utilisés aujourd'hui sont tout aussi misérables.

Bien sûr il ne s'agit pas d'un complot organisé. Des conspirateurs, ça se démasque. Il s'agit d'une réaction instinctive, inconsciente, d'un besoin éperdu de maintenir cette suprématie qui a, pour notre malheur à tous, été considérée comme l'essence de la virilité. Cette vanité imbécile a saccagé l'histoire des hommes et des femmes, l'amour des hommes et des femmes. Elle a été la cause de comportements grotesques, terrifiants ou névrotiques, à toutes les époques de l'histoire ou presque, et dans tous les pays, ou presque.

Laissons de côté l'affreux Moyen Age; ne parlons même pas de cette Re-naissance, la bien-nommée, où le terme de virago en Italie — celle qui agit comme un homme — constituait un compliment; passons aussi sur la monarchie où les favorites, les précieuses et les empoisonneuses furent les seules femmes qui réussirent à faire parler d'elles. On se plaît à croire que la Révolution française du moins a amélioré la condition féminine : il n'en est rien. Les femmes ont pu l'espérer quelque temps. Dès 1789, de nombreux journaux circulaient, réclamant justice pour elles comme pour les autres opprimés. Théroigne de Méricourt créait une légion d'Amazones et prenait part aux combats de rues, Rose Lacombe fondait le Club des citoyennes révolutionnaires, Mme Moitte, déléguée des femmes artistes, et bien d'autres apportaient leurs bijoux à la Constituante. A ceux qui refusaient toute promotion aux femmes sous prétexte de leurs servitudes physiologiques, Condorcet, un émouvant personnage que nous devrions admettre dans notre Panthéon à nous, répliquait : « Pourquoi des êtres exposés à des grossesses et à des indispositions passagères ne pourraient-ils pas exercer des droits dont on n'a jamais songé à priver des gens qui ont la goutte ou qui s'enrhument facilement ? »

1792 vit la fin de ces illusions. Les hommes qui prirent le pouvoir alors, soit disciples de Rousseau, convaincus de l'infériorité naturelle de la femme qui la vouait aux tâches domestiques, soit misogynes névrotiques tels que Marat, Babeuf, Chaumette ou Hébert, écartèrent désormais les femmes de toute activité politique.

La Constitution de l'an II leur avait refusé le droit de cité.

Un décret de prairial an III leur interdit d'assister aux Assemblées du peuple, même en spectatrices.

Il semblait difficile d'aller plus loin. La Convention de thermidor y parvint par l'incroyable décret du 24 mai 1795. « Toutes les femmes se retireront jusqu'à ce qu'autrement soit ordonné en leurs domiciles respectifs. Toutes celles qui seront trouvées attroupées dans les rues au-dessus du nombre de cinq seront dispersées par la force armée et mises en état d'arrestation. »

Quant aux féministes « enragées et irrécupérables », elles furent emprisonnées ou décapitées sur les ordres de Robespierre.

Sur le plan du droit privé, les femmes avaient acquis quelques avantages : l'égalité en succession, le droit au divorce et le droit de témoigner. Mais pour le reste, leur dévouement à la cause républicaine ne leur servit de rien et les laissa plus démunies encore que sous la monarchie. La presse féministe allait se taire pour longtemps au profit d'une presse féminine vouée à la mode et à la futilité et vivement encouragée par le Directoire puis par l'Empire [1].

Au XIXe, quand quelques remous commencèrent à agiter la surface des foyers où végétaient sagement les épouses dans l'ignorantisme et le dévouement (ce qui n'est pas toujours synonyme de malheur, un topinambour, une sainte ne sont pas forcément malheureux), on assista de nouveau à une incroyable mobilisation. Des poètes romantiques, des philosophes positivistes, une reine, des historiens, encouragés fanatiquement par la toute-puissante bourgeoisie dont la prospérité dépendait en partie de la docilité des épouses et de leur incapacité juridique, se dressèrent pour défendre la cause sacrée, celle de la « vraie femme ». Et qui est le meilleur allié de l'homme, sinon précisément la vraie femme ? Heureuse coïncidence ! Il s'en trouvait beaucoup en ce temps-là, heureusement. Le significatif et pathétique appel que lança la plus illustre d'entre elles, la reine Victoria, en voyant sortir du gynécée les premières suffragettes, en fait foi :

« La reine fait appel à toutes celles qui peuvent prendre la parole ou écrire et les adjure de s'unir pour enrayer ce Mouvement des droits de la femme, pervers et fou, avec toutes les horreurs qu'il entraîne et qui aveugle les pauvres êtres de son sexe, qui en oublient le sens de la féminité et des convenances. Ce sujet irrite à ce point la reine qu'elle peut à peine contrôler sa colère. »

Quand Victoria publie ces lignes, la Déclaration des droits de l'homme a cent ans. La Révolution française a transformé les structures et influencé toute l'Eu-

1. Cf. *Histoire de la presse féminine des origines à 1848* par E. Sullerot chez Armand Colin.

rope... mais la simple demande par les femmes du droit de vote et du droit à l'instruction suscite une indignation horrifiée ! Heureusement, la guillotine était moins à la mode qu'au temps où l'on mettait fin à l'inadmissible espoir d'Olympe de Gouges par le plus radical des moyens. Mais au pays de Victoria, la répression fut tout de même impitoyable. De nombreuses femmes furent emprisonnées, condamnées au régime de droit commun et, quand elles déclenchèrent une grève de la faim, en 1906, le gouvernement britannique ordonna de les gaver de force, comme des oies. Rien de tel que la photo dans la presse de quelques suffragettes avec un tuyau dans le bec pour ridiculiser leur cause, aux yeux des imbéciles du moins. Mais ils sont la majorité.

En France on utilisait, très efficacement aussi, la coercition morale et l'inanition intellectuelle.

« Vous devez avoir horreur de l'instruction chez les filles, écrivait Balzac. Laisser une femme lire les livres que son esprit la porte à choisir, mais c'est lui apprendre à se passer de vous. »

« On devrait les bien nourrir et les bien vêtir, répondait en écho le délicat poète Byron, mais ne point les mêler à la société. Elles ne devraient lire que des livres de piété et de cuisine. »

C'est d'ailleurs ce que recommandait aussi Baudelaire, grand amateur de femmes comme la plupart des misogynes. Il s'étonnait même qu'on les laissât entrer dans les églises. Chaque chose à sa place : celle des femmes était à la cuisine ou au bordel.

La gent féminine (comme les classes pauvres) ayant été privée systématiquement d'information et d'instruction, Auguste Comte pouvait déclarer comme

vérité d'évidence que « les femmes et les prolétai-
ne pouvaient ni ne devaient devenir des auteurs pas plus qu'ils ne le voulaient ». Et Barbey d'Aurevilly, autre grand ami, rêvait de fessées pour décourager les ambitieuses : « L'orgueil, ce vice des hommes, est descendu dans le cœur de la femme et nous ne l'avons pas remise à sa place comme un enfant révolté qui mérite le fouet. Alors, impunies, elles ont débordé : ça a été une invasion de pédantes. » (Car une femme n'est pas cultivée, elle ne peut devenir que pédante.)

Il se trouvait quelques issues de secours telles que l'art, le sport ou la culture. Toutes furent vivement bloquées. On avait coupé la tête des femmes, il importait aussi de leur couper les ailes.

C'est Pierre de Coubertin en personne qui se chargea de nous interdire l'entrée des stades au nom de notre pudeur dont il s'estimait le meilleur juge : « Une olympiade femelle est impensable. Elle serait impraticable, inesthétique et incorrecte. » Fin de citation !

L'interdiction devait persister jusqu'en 1946, mais il fallut encore huit années pour qu'on admît qu'une jeune fille pouvait « courir plus de 200 mètres sans tomber morte à l'arrivée ». Les preuves du contraire, administrées sur les stades du monde entier par des athlètes féminines n'entamaient pas la conviction des organisateurs de jeux, puisqu'ils n'avaient en fait nul souci de la santé des femmes, mais seulement la volonté bien arrêtée de les exclure du monde sportif.

Il semble que la seule notion de liberté féminine, dans quelque domaine que ce soit, ait eu le don de rendre enragés, au point d'oblitérer en eux tout jugement, des hommes qui passent par ailleurs pour extrêmement intelligents. Comment expliquer autrement le lamentable pamphlet qu'écrivit en 1955 Stephen Hecquet et qui aurait dû déshonorer son auteur si les injures aux femmes n'étaient pas toujours considérées avec une indulgence amusée ?

« L'exhibition des sportives est rarement supportable », écrivait-il, reprenant cinquante ans après les arguments ridicules de Coubertin. « Désirez-vous acquérir du muscle ? Vous n'obtenez que du tendon. Voulez-vous courir le 100 mètres ? Vous dégénérez en jument... L'homme est un monument quand vous ne serez jamais qu'un édifice utilitaire... Votre succès, votre affluence, ce sont ceux de l'expo de Blanc par rapport à l'exposition des chefs-d'œuvre de l'art flamand [1]. »

Cependant, par le biais de l'instruction obligatoire et gratuite pour tous, les femmes allaient peut-être accéder au moins à la rampe de départ quand survint pour elles un grand malheur : Freud. Chacun connaît sa théorie du rôle passif de la femme qu'il juge inférieure par l'effet d'une volonté divine irrévocable.

« C'est une idée condamnée à l'avance que de vouloir lancer les femmes dans la lutte pour la vie au même titre que les hommes, écrivait-il à sa fiancée Martha. Je crois que toutes les réformes législatives et éducatives échoueraient du fait que, bien avant l'âge où un homme peut s'assurer une situation sociale, la nature a déterminé sa destinée en termes de beauté, de charme et de douceur... Le destin de la femme doit rester ce qu'il est : dans la jeunesse, celui d'une déli-

1. *Faut-il réduire les femmes en esclavage ?*

cieuse et adorable chose; dans l'âge mûr, celui d'une épouse aimée. »

C'est en termes galants — Freud était alors fiancé... et ne se pressait pas d'ailleurs d'épouser — exactement ce que disaient Rousseau ou Napoléon. Et il n'était pas facile pour une femme de sortir de cette prison dorée sous peine de passer pour folle : « L'envie de réussir chez une femme est une névrose, le résultat d'un complexe de castration dont elle ne guérira que par une totale acceptation de son destin passif. »

A la fin de sa vie, Freud reconnaissait qu'au bout de trente années de recherches, la grande question à laquelle il n'avait trouvé aucune réponse était celle-ci : « Que veulent-elles donc ? » Sympathique mais tardif aveu dont ne tinrent pas compte malheureusement ses dévotes élèves qui rivalisèrent de surenchère masochiste pour supplier les femmes de rester belles, douces et sottes sous peine de perdre leur féminité, cette féminité mystérieuse que Freud n'était pas parvenu à cerner mais que nous pouvions égarer au lycée, au bureau ou sur les stades, comme un sac à main.

« Les femmes intelligentes sont souvent stériles », affirmait doctement Gina Lombroso pour décourager les intellectuelles.

« La femme paie ses connaissances intellectuelles de la perte de précieuses qualités féminines », osait encore dire en *1944* la déprimante Hélène Deutsch, qui ajoutait, comme si elle n'avait jamais regardé autour d'elle : « Tous les observateurs confirmeront que la femme intelligente est masculine. »

On serait curieux de savoir de quelles qualités féminines la pauvre Hélène a dû payer ses études. Il aurait été instructif qu'elle nous révélât par exemple : « Ainsi moi, depuis ma licence de philosophie, il m'est poussé du poil aux jambes et j'ai perdu ma pudeur. » Malheureusement elle ne nous donne aucun détail. Pourtant son pronostic est sévère pour les autres. « Ce type de femmes, déclare notre fine psychologue, intellectuelles ou sportives, extrêmement répandu dans nos collèges, ont une vie affective aride, stérile, appauvrie. »

Farnham et Lundberg, pschologues très écoutés aux U.S.A., confirmèrent la nouvelle : « Plus les femmes sont cultivées, plus elles risquent de connaître des troubles sexuels [1]. »

En revanche toutes les félicités sont promises à la femme féminine, qui n'est ni intellectuelle ni sportive, et surtout au mari de cette femme-là : « Ce sont d'idéales collaboratrices pour les hommes, et qui trouvent en ce rôle leur plus grand bonheur. Même si elles sont richement douées, elles sont toujours prêtes à abandonner leurs propres réalisations sans éprouver le sentiment d'un sacrifice quelconque... car la passivité est l'attribut majeur de la féminité. »

On admire qu'Hélène Deutsch, sachant tout cela, ait eu l'abnégation de renoncer au bonheur pour faire de la psychanalyse. Elle aurait pu être une idéale collaboratrice pour bien des misogynes, le Balzac de *L'Education des filles,* par exemple, dont les théories préfigurent les siennes, mais avec plus de talent et d'humour :

« Vous devez avoir horreur de l'instruction chez les

1. Rassurez-vous : c'est l'inverse, de l'avis de tous les sexologues modernes.

femmes... Examinez avec quelle admirable stupidité les filles se sont prêtées à l'enseignement qu'on leur a imposé en France : elles sont élevées en esclaves et habituées à l'idée qu'elles sont au monde pour imiter leur grand-mère, faire couver des serins de Canarie, composer des herbiers, arroser de petits rosiers de Bengale, remplir de la tapisserie ou se monter des cols. Aussi à dix ans, si une petite fille a eu plus de finesse qu'un garçon, à vingt ans est-elle devenue triste et gauche. »

Cepandant, cette tristesse ne doit faire éprouver aucun scrupule : « Ne vous inquiétez en rien de ses murmures, de ses cris, de ses douleurs. La nature l'a faite pour tout supporter : enfants, coups et peines de l'homme. »

Dans ce contexte moral et social, on imagine que rares étaient les jeunes filles qui parvenaient à franchir tous ces barrages et à obtenir — dans quel climat de solitude et de malveillance — leurs diplômes. Il leur restait alors à affronter l'ironie et le paternalisme des pouvoirs en place. Pour certains petits métiers subalternes, on les laissait batifoler un peu. Elles ne pouvaient être professeurs, mais l'institutrice était tolérée, dans la mesure où la postulante était laide, honnête et sans dot, ce qui ne lui laissait guère d'espoir d'acquérir sa dignité par le mariage ! De même, la profession de pharmacienne lui était fermée, mais l'herboristerie semblait convenir à ses maigres talents :

« La pharmacie, profession savante, n'est pas du domaine des femmes », écrivait le bon Jules Simon dans un ouvrage qu'il ne craignait pas d'intituler *La Femme du* XXe *siècle.* « Mais croyez-vous qu'elles ne sauraient pas manier des poudres, des liquides, les peser, faire de petits paquets de sel ou verser le liquide dans des fioles, les envelopper d'un papier après avoir placé sur le bouchon le petit bonnet rose ou bleu entouré d'une ficelle cachetée ? »

Vision exquise. Mais dès qu'il s'agissait de vrais, de beaux métiers, la solidarité de sexe s'organisait.

Pour la médecine, c'est le professeur Charcot qui déclare en remettant son diplôme à Caroline Schultze : « Voilà donc les femmes médecins maintenant ! Ces prétentions sont exorbitantes car elles sont contraires à la nature même des choses, comme elles sont contraires à l'esthétique. »

N'est-il pas touchant de voir comme, de Freud à Charcot en passant par Coubertin, c'est toujours au nom de notre beauté qu'on nous ramène à la niche !

Pour le droit, c'est la première chambre de la cour d'appel de Bruxelles qui refuse à Mlle Popelin, pourtant munie de tous ses diplômes, sa « requête saugrenue » de prêter serment afin de pouvoir exercer son métier. Il faudra trente-quatre ans de procès perdus et d'avanies pour qu'enfin en 1922 la profession d'avocat soit ouverte aux femmes belges. Mlle Popelin était alors morte après avoir servi toute sa vie de secrétaire à un avocat.

Même la simple fonction de secrétaire ne fut pas obtenue sans peine. Alexandre Dumas père, qui avait été secrétaire, ce qui ennoblissait la fonction, recourait lui aussi à l'éternel argument qui ferait sourire aujourd'hui bien des chefs de bureau : « La femme perdra toute féminité en mettant les pieds dans un bureau. »

Certains secteurs masculins résistèrent même par la

violence : les giletiers interdirent à coups de poing l'entrée de leurs ateliers aux confectionneuses qui voulaient aussi faire des gilets ! Le métier de typographe, aujourd'hui encore, reste uniquement aux mains des hommes grâce à une vigilance agressive, alors que ceux-ci ont pu s'emparer de tous les métiers féminins dès lors qu'ils devenaient lucratifs (grande cuisine, haute couture).

En politique, même méthode : le rappel à la pudeur et la menace de ne plus nous aimer.

« La constitution délicate des femmes est parfaitement appropriée à leur destination principale, celle de faire des enfants (!), écrivait Mirabeau dans un projet d'éducation. Sans doute la femme doit régner dans l'intérieur de la maison, mais elle ne doit régner que là. Partout ailleurs, elle est comme déplacée. »

Et cinquante ans plus tard le romantique Charles Nodier, cherchant à nous convaincre que la privation de tout droit avait l'avantage de nous assurer « une longue et délicieuse enfance », nous faisait le chantage à l'amour : « Eh quoi ! Pour quelques misérables droits sociaux dont l'institution universelle vous a privées, vous vous exposeriez, mesdames, à perdre notre protection et notre amour ? »

Cent ans plus tard encore — les choses n'évoluent pas vite pour les femmes —, Stephen Hecquet déclarait que toutes les femmes qui avaient voulu sortir de cette longue et délicieuse enfance n'avaient réussi qu'à devenir des guenons : « C'est assez de Marguerite d'Angoulême, de Christine de Pisan, des marquises de Sévigné, de Rambouillet, du Châtelet, de Catherine de Médicis ou de Katherine Mansfield, de Mmes Rolland, Sand, Poinsot-Chapuis et Françoise Giroud.

Ces monstres ne sont ni tout à fait inutiles ni tout à fait déplaisants, mais une société n'a rien à gagner à se transformer en ménagerie. »

Vous l'aurez compris si vous êtes familière du vocabulaire des misogynes, le mot « ménagerie » signifie que toutes ces femelles ne sont pas des écrivains, des femmes politiques, des poètes, comme elles voudraient le faire croire : ce sont des singes. Catherine de Médicis n'était pas une reine, comme des naïfs ont pu le penser, mais une femme dévorée par le désir de pénis et qui faisait un transfert. Même chose pour Françoise Giroud qui est une fausse journaliste mais une vraie névrosée, mécontente de ses organes et qui remplace le pénis par *L'Express*.

Ce très bref survol des embûches semées sous les pas de celles qui prétendaient exister par elles-mêmes met en lumière une désopilante évolution des tactiques, à mesure que tous ces arguments à la noix s'effondraient devant les faits. Plusieurs positions furent successivement occupées puis abandonnées :

Première place forte, tenue pendant des siècles : « Ces êtres-là sont sans cervelle, leur pauvre tête se brouille si on l'emplit. » (Dr Edwards.) Le fait même que cette thèse ait été longtemps soutenue par le corps médical prouve que dès qu'il s'agit de femmes c'est l'homme qui parle et non le médecin.

Deuxième place forte sur laquelle on se replia quand il y eut assez de femmes enseignantes, médecins, avocats et qui ne voyaient pas éclater leur pauvre tête contrairement aux prévisions : d'accord, vous arrivez à décrocher les mêmes diplômes, mais le travail détruit votre féminité. Nous ne pourrons plus vous aimer et notre phallus se détournera de vous.

Jean Cau, avec Jean Lartéguy et autres Dutourd, se trouve encore dans l'arrière-garde qui s'accroche là. « Les féministes, vous êtes moches, vous êtes des mal baisées, des pas baisables », écrit l'un, et l'autre redit en écho — les tirades sont interchangeables chez ces gens-là : « Bréhaignes stériles [1] et affamées, affreuses, vioques, mal baisées, profs de philo à la retraite. »

Après *mascarade*, *ménagerie* et *singer*, on trouve ici les maîtres mots du maigre vocabulaire des misogynes : *mal baisée*. C'est l'injure suprême qu'ils laissent tomber du bout de leur phallus, toujours bien baisant, cela va de soi. Une femme qui se plaint ou revendique ne peut être qu'une frigide ou une affreuse car, si elle était bien baisée, inondée de reconnaissance, elle ne piperait mot. Toutes les féministes ont été un jour ou l'autre traitées de mal baisées. Moi, c'est par Maurice Clavel, que par ailleurs j'estime et admire. Si ces êtres-là avaient un peu de logique, ne verraient-ils pas qu'en traitant une femme de mal baisée c'est d'abord son mari ou son amant qu'ils insultent ?

Troisième place forte enfin, qui est encore fermement tenue aujourd'hui : bon, d'accord. Les féministes, les femmes qui travaillent ne sont pas toutes des juments stériles. Elles peuvent être belles. Elles connaissent l'orgasme. Peut-être même davantage, les salopes. Mais attention ! Elles sont responsables de l'angoisse du monde moderne parce qu'elles ont abandonné les valeurs proprement féminines.

Après le chantage à l'amour, le chantage à la crise

1. Puis-je faire remarquer à Lartéguy que ses trépignements lui font oublier la langue française : bréhaigne veut déjà dire « femelle stérile ».

de civilisation. Si vous ne rentrez pas immédiatement dans vos cuisines, nous ne répondons plus de l'équilibre de la société.

Et si nous ne voulions plus faire seules les frais de cet équilibre ?

On entend souvent dire aujourd'hui que toutes ces luttes n'ont plus de raison d'être et qu'il n'y a plus besoin de féministes puisque les femmes ont obtenu l'égalité. Vieille rengaine ! C'est déjà ce qu'on nous disait en 1900 : « Le degré atteint par la femme est suffisamment élevé : à un degré de plus, elle tomberait dans le ridicule. Se figure-t-on la femme juge ? La femme sénateur ? Il est fort heureux pour elle, pour sa dignité, pour son auréole sublime de mère de famille et d'institutrice que l'homme se charge de l'arrêter sur le seuil du grotesque, de la mascarade [1]. »

Cette troisième place forte risque de résister longtemps car elle use d'un argument subtil et flatteur, notre sublime auréole de mère de famille et d'institutrice... sublime auréole dont personne ne veut, en tout cas ni les pères de famille ni les instituteurs ! Nous serions en droit de nous méfier de cette soudaine générosité d'une société si avare à notre égard quand il s'agit de libertés. Le sublime, est-ce un cadeau ou une prison ? Un indice devrait nous alerter : l'attitude de l'Eglise. Dirigée tout au long de son histoire et du haut en bas de la hiérarchie par des hommes sans femmes, elle nous a toujours tout refusé, sauf précisément le sublime. La sainteté, le cloître, le martyre et les jeunes filles dans la fosse aux lions,

1. Jean Alesson, *Le Monde est aux femmes*, cité dans le passionnant *Dossier de la femme* de Geneviève Gennari, éd. Perrin.

bravo ! Chez les premiers chrétiens, on ne lésinait pas sur les seins coupés. Mais le service des fidèles ? La distribution des sacrements ? La célébration de la messe ? Là, vous exagérez, mes chères filles. « En tout cas il n'y aura jamais de femme prêtre comme je vous soupçonne d'en rêver. Il n'y a pas plus d'ostracisme en cela qu'il n'y a d'injustice à ce que les aubergines ne volent pas comme les alouettes. » (Le père Lelong, octobre 1972.)

Pas d'injustice non plus sans doute dans le choix des comparaisons : c'est dans un esprit très chrétien que le père Alouette nous renvoie à notre vocation de légume !

Regardons la réalité en face : si l'on coiffe de pauvres aubergines d'une auréole, c'est dans l'espoir que ce gadget écrasant les fera tenir tranquilles. Par le sublime, on les coince. On a l'air de quoi quand on dit en substance : « Mon admirable vocation d'épouse et de maman ne me suffit pas. Sauf votre respect, je préférerais voyager, être archéologue, ministre, gangster ou rien du tout ! » On a l'air d'une fausse femme, la pire engeance.

Evidemment, devant la pression croissante des fausses femmes, il a fallu leur ménager quelques soupapes de sécurité. Le travail offrait le double avantage de fournir une main-d'œuvre d'appoint aux employeurs et de montrer aux femmes de quel prix elles paieraient leur indépendance éventuelle, puisqu'on ne songeait pas pour autant à leur faciliter les tâches familiales qui restaient leur premier métier. On n'encourageait pas non plus leur promotion professionnelle car il était commode pour l'industrie de disposer d'une main-d'œuvre peu qualifiée, donc peu combative, et les hommes évitaient ainsi la concurrence. « Ne faites pas des rivaux des compagnes de votre vie », écrivait cyniquement Talleyrand, qui recommandait les « petits métiers », tels que servante. On ne peut s'empêcher de distinguer tout le bénéfice que les hommes tiraient de cette répartition des tâches ! Car on n'interdisait pas tout travail à l'admirable mère de famille au nom de sa vocation, on lui interdisait tout travail intéressant. Nuance. Et il ne faudrait pas croire que la prudence de Talleyrand soit périmée. Dans une récente revue d'orientation sur les carrières féminines, la médecine est déconseillée « parce qu'elle réclame un équilibre nerveux qui n'est pas l'apanage des femmes et oblige à supporter des spectacles pénibles ». En revanche, la profession d'infirmière ou de sage-femme, qui ne présente aucun spectacle pénible comme chacun sait et qui est très reposante pour les nerfs, est vivement recommandée.

De la même façon, la sollicitude virile va s'effacer miraculeusement devant les nécessités de l'ère industrielle. Les avocats ne voulaient pas d'avocates, mais les patrons, eux, ont besoin de main-d'œuvre docile, non syndiquée, donc sous-payée... Suivez mon regard... Et soudain les beaux raisonnements qui avaient servi à écarter les femmes des professions libérales vont s'effacer devant une argumentation inattendue : « Ce sont les femmes qui seront employées à décharger les betteraves la nuit dans les raffineries parce qu'elles sont plus habiles et plus souples que les hommes et *parce qu'elles résistent mieux à la boue et au froid.* » (Circulaire des Raffineries du Nord, 1860, citée par Villermoz dans son *Tableau physique et moral des ouvrières des manufactures.)*

Pour les ouvrières, donc, plus question d'esthétique, de pudeur ou d'équilibre nerveux. Il faut lire sur ce sujet le véritable roman noir d'Evelyne Sullerot : *Histoire et sociologie du travail féminin.* C'est édifiant. En fait, la vérité est toute simple, comme l'écrit Kate Millett très justement dans *La Politique du mâle.* « L'effort physique est en général un facteur de classe, non de sexe. Les tâches les plus pénibles sont toujours réservées à ceux d'en bas, qu'ils soient robustes ou non. »

Exit la fameuse galanterie française, un bel attrape-nigaudes et qui ne s'exerce jamais qu'à l'intérieur d'une classe. Avez-vous jamais vu un « Monsieur bien » prendre la valise d'une femme moche et pauvre avec un bébé dans les bras sur un quai de gare ? Si la fille est très jolie, il se précipite; c'est tout juste s'il ne lui propose pas de porter son sac à main. Si c'est une « Dame bien », elle aussi, il arrive qu'il propose son aide selon une fréquence qui décroît inexorablement avec l'âge de la dame et une remontée au tout dernier carat, quand la mort n'est plus bien loin. Mais une vraie pauvre femme pas trop spectaculaire, simplement usée et lourdement chargée, pourra parcourir la longueur d'un train sans qu'un bras masculin se tende vers elle. La dernière que j'ai vue, gare Montparnasse, était enceinte et portait un bébé dans les bras. Tous les 50 mètres, elle changeait son enfant d'épaule et sa valise de main. Ce n'était ni un objet érotique ni une bourgeoise. Dans ce train d'hommes d'affaires *(le Goéland)* où beaucoup ne portaient qu'un attaché-case, personne ne l'a seulement regardée : étant moche et fatiguée, ce n'était plus une femme.

Alors qu'on nous fasse grâce de la galanterie, brandie comme le privilège exquis de notre condition féminine : il ne s'agit que d'une manifestation de l'instinct sexuel. La vraie chaleur humaine naît d'un sentiment plus franc et plus rare et qui n'a rien à voir avec le sexe.

Nous continuons pourtant à nous laisser attendrir par les hommages, comme s'ils signifiaient autre chose que le désir (qui est d'ailleurs une chose fort plaisante, la question n'est pas là), et à nous laisser entortiller par le dernier en date des arguments masculins : « Vous êtes très bien en avocate, en P.-D.G., en exploitante agricole, en déléguée syndicale, en informaticienne, en tout ce que vous voudrez. Très très bien même. Mais vous oubliez le principal : vos enfants ne peuvent se passer de vous et nous non plus. »

Et scroutch ! Le tour est joué, nous quittons tout émues nos études, notre métier, notre liberté et nous nous laissons enfoncer la sublime auréole sur la tête. Elle nous serre les tempes; elle nous gêne pour étudier, pour voyager, pour réfléchir et même pour aimer tranquillement. Et s'il nous prend l'envie de mettre l'auréole au vestiaire parce que ce n'est pas une coiffure commode, alors la société se dresse, furibonde et prête à tout. Dans notre pays soi-disant moderne et libre, Gabrielle Russier est morte des préjugés antisexuels et antiféminins, tout comme les héroïnes du XIXe, « déshonorées » par une faute, qui n'est jamais mortelle pour l'autre sexe.

Et dans un ordre d'idées moins grave mais aussi significatif, il suffit de voir le dérisoire scandale qu'a provoqué la candidature de Françoise Parturier à l'Académie française chez les Quarante (moins un : Louis Armand), pour se convaincre que rien n'a changé. Chez ces hommes qui ne sont tout de même pas les quarante plus idiots de France, le vieux mécanisme a joué encore une fois et la noble porte est demeurée close. Comme les sages discutaient autrefois du sexe des anges, ceux-ci se sont penchés sur le sexe des « immortels » et par un réflexe obscur qui les relie aux évêques du concile de Nicée, les académiciens français ont conclu qu'une femme menstruée pourrait souiller le temple...

Partout il reste des interdits, des tabous, des réticences, plus forts souvent que les lois, mais l'essentiel malgré tout a été conquis. On peut donc se demander pourquoi, alors que la morale chrétienne a desserré son carcan ou perdu son influence, alors que nous ne sommes plus tenues en laisse par des maris ou des familles toutes-puissantes, pourquoi, en dépit de quelques autodafés de soutiens-gorge et de grèves du service sexuel, notre mentalité évolue-t-elle avec une si désespérante lenteur ? Françoise Parturier en propose une explication dans sa sévère *Lettre ouverte aux femmes :* « La liberté ne se demande pas, Madame, elle se prend... Il n'y faut que de l'audace et de la solidarité. Or, ce sont justement les deux qualités qui vous manquent le plus. Vous n'osez pas oser. Vous avez peur, peur de ne pas pouvoir, peur d'être empêchée, peur d'échouer, peur d'être punie, peur de manquer, peur d'être seule, peur d'être ridicule, peur du qu'en-dira-t-on, peur de tout. »

Quel pouvoir n'aurions-nous pas pourtant si nous découvrions que nous sommes solidaires ? Si des siècles de sujétion et de complexes d'infériorité et le poids d'un modèle imposé de féminité ne nous paralysaient plus devant une action désormais possible ? Si notre presse nous aidait à sortir du stéréotype puéril, ravissant et frivole dans lequel on s'obstine à reconnaître l'éternel féminin ?

Mais il faudra beaucoup de temps et beaucoup de féministes encore pour soulever le couvercle de plomb. Nous n'avons gagné que des batailles locales. Les mentalités n'ont pas vraiment changé.

Au moment où j'écris ces lignes, Giscard d'Estaing, qui avait annoncé une « importante » participation des femmes à la gestion du pays, vient de former son premier gouvernement. Il en a effectivement pris 3. Sur 32. L'une est secrétaire d'Etat à l'Enseignement préscolaire, c'est-à-dire aux maternelles. L'autre s'occupera des conditions de vie dans les prisons. Mme Simone Veil qui, par sa formation et le poste important qu'elle occupait dans la magistrature, pensait obtenir le poste de garde des Sceaux, s'est vu, à la surprise générale, offrir le ministère de la Santé, pour lequel elle n'avait d'autre compétence apparente que sa féminité. Une jardinière d'enfants, une visiteuse de prisons, une aide-soignante... Le nouveau président n'aura une fois de plus pas osé faire sortir les femmes de leurs attributions traditionnelles [1].

Il a d'illustres précédents. Aux Etats-Unis, le vice-président Spiro Agnew disait récemment dans l'un de ses discours : « Trois choses ont été difficiles à dompter : les imbéciles, les femmes et l'Océan. Nous commençons à dompter l'Océan, mais ça ne marche

1. Trois mois plus tard il faut ajouter à cette liste Françoise Giroud, la femme des femmes, ce qui ne sort pas, on l'avouera, du ghetto.

pas trop bien pour les femmes et les imbéciles. »

Et chez nous, le général de Gaulle répondait à un député qui lui proposait la création d'un ministère de la Condition féminine :

« Un ministère... ? Pourquoi pas un sous-secrétariat d'Etat au Tricot ? »

CHAPITRE III

LE TORCHON BRULE DIFFICILEMENT

> « Par suite de tous les processus de ségrégation dans l'éducation, dans le travail, dans la société, chaque personnalité se réduit à la moitié — et souvent moins — de son potentiel humain. »
>
> KATE MILLETT.

L'HÉROÏNE s'appelle Christine. Elle est mannequin, dessinatrice de mode et étudiante en sociologie. (Très à la mode, la sociologie, pour les jeunes filles... elle a remplacé la peinture florale ou la tapisserie d'autrefois et reste typiquement féminine puisqu'elle ne mène à rien non plus !) Christine est aussi adepte du karaté et, c'est la moindre des choses, excellente maîtresse de maison. En outre, elle fait elle-même ses robes et s'occupe de son jardin. Or, nous affirme-t-on, « elle arrive à mener de front toutes ses activités tranquillement et avec le sourire ». Suit une description enjouée de l'emploi du temps de Christine pendant vingt-quatre heures, dont je me demande quelle femme peut la lire sans tomber dans le désespoir ou piquer une saine colère. Elle fait d'abord le ménage à fond chaque matin, discipline qui maintient en forme, après s'être confectionné un « petit déjeuner-minceur », sans lait ni beurre ni miel. Puis une cinquantaine de flexions sur les jarrets entre deux séances de désherbage, « ni vu ni connu et pas de temps perdu ». Elle saisit toutes les occasions de la journée, et il y en a mille paraît-il, pour faire quelques exercices rapides, bat des pieds dans la baignoire, excellent pour le ventre, et pendant qu'elle se démaquille, en profite pour se dresser sur la pointe des pieds et retomber sur les talons afin d'affiner ses chevilles; au bureau, dans les moments de pause, elle serre les coudes en arrière sans creuser le dos. C'est, nous dit-on, une personne qui réinvente chaque jour son maquillage pour être en harmonie avec ses vêtements. Enfin, elle a l'œil vif, le moral rayonnant et de l'énergie parce qu'elle n'oublie pas de manger un pamplemousse à dix-huit heures. Elle mange d'ailleurs pour son foie, sa cellulite, son teint ou ses artères, jamais pour son plaisir.

Bien sûr, on laisse entendre que son vrai but est de trouver un mari et d'avoir des enfants. La sociologie, le dessin et les photos de mode, c'est pour passer le temps « en attendant ».

Cet article paru en 1970 dans un de « nos » hebdomadaires et qui reparaît régulièrement sous des formes à peine différentes, s'intitule *La vraie femme qui possède à fond l'art de vivre,* et il exprime typiquement les tendances de la presse féminine. Elle a pris le relais des moralistes pour nous maintenir dans les vertus professionnelles que les hommes ont toujours souhaitées pour nous : la beauté, l'amour, le dévouement et les soins du foyer. A l'en croire, il y a là de quoi occuper entièrement une vie de femme — on admet implicitement que pour elles la vie s'arrête à cinquante ans — et on n'entend pratiquement jamais dans ces journaux la voix d'une contestataire, d'une ambitieuse, d'une femme qui n'éprouve pas le désir d'adopter la mystique féminine, sans pour autant se sentir coupable ou incomplète. C'est en les lisant pourtant que nous devrions découvrir notre solidarité, notre diversité, nos révoltes, nos possibilités d'action aussi. Mais ces « temples de la Vraie Femme » manifestent la plus parfaite indifférence pour le féminisme sous toutes ses formes quand ce n'est pas cette ironie ou ce mépris qu'on retrouve dans la presse masculine. Alors à quoi bon une presse dite féminine ?

Personne ne demande que *Elle, Marie-Claire* ou *L'Echo de la Mode* ressemblent au journal du M.L.F. *Le Torchon brûle.* Mais ils ne devraient pas non plus ignorer systématiquement cet aspect de la condition féminine. Car le féminisme ne se résume pas à une revendication de justice, parfois rageuse, ni à telle ou telle manifestation scandaleuse; c'est aussi la promesse, ou du moins l'espoir, d'un monde différent et qui pourrait être meilleur. On n'en parle jamais. Comme on ne nous parle jamais de ces femmes qui se sont battues pour nous. Car c'est toujours une lutte de femmes qui a présidé à l'amélioration du sort des femmes. Mais on dirait que nous nous associons, nous, femmes d'aujourd'hui, au moins par notre silence, aux jugements féroces du pouvoir masculin sur ces « effrontées » qui, dès la Renaissance, à une époque autrement difficile que la nôtre, eurent l'audace et la générosité de cœur nécessaires pour quitter la dignité et la sécurité d'un foyer et affronter l'ironie, l'hostilité ou la prison.

Je pense à une Anne Hutchinson qu'un tribunal calviniste condamna à la prison puis à l'exil en 1650 parce que son intrépidité, sa connaissance des Ecritures et son éloquence étaient inadmissibles chez une femme : « Vous avez été un mari plutôt qu'une épouse, une prédicatrice plutôt qu'une auditrice, un magistrat plutôt qu'une administrée et vous n'avez jamais été humiliée pour avoir agi ainsi. »

Ces femmes d'hier, qui prenaient conscience de leur condition et se sont battues pour la nôtre, possédaient les qualités dont on nous prétend incapables : le désintéressement, l'énergie indomptable, le sens de l'histoire. La littérature est pleine de livres féminins méconnus, émouvants, qui nous réconcilieraient avec nous-mêmes et enrichiraient notre identité : Claire Voilquin et sa joie à découvrir l'indépendance (elle se suicida après l'échec des femmes sous la Révolution française); Jeanne Deroin qui espérait naïvement que l'amour des femmes viendrait à bout de l'égoïsme et de la tyrannie; et la belle Flora Tristan, l'inventrice des Maisons de la culture qu'elle voulait baptiser Palais ouvriers et qui fut assassinée par son mari parce qu'il ne supportait pas qu'elle ait repris sa liberté pour la consacrer aux opprimés. Et tant d'autres. Presque tous ces noms sont totalement inconnus. Eh oui, et perdus pour tout le monde. De même qu'on a longtemps escamoté dans l'enseignement de l'histoire de France tout ce qui aurait pu réveiller la conscience populaire, on a fait descendre l'oubli sur ces figures qui ne correspondaient pas aux définitions et dont un bon nombre cependant sont des personnages aussi passionnants que d'Artagnan ou Zorro. Et si nos journaux à nous ne leur redonnent pas vie, qui en parlera ?

Bien sûr la presse du cœur est plus rassurante, qui nous maintient soigneusement dans un univers de conte de fées. Mais c'est un conte à rebours : elle nous endort avec le Prince Charmant et c'est la piqûre de la quenouille qui nous réveillera, quand il sera trop tard.

Quant à nos autres magazines, sauf en quelques rares occasions, sous couleur d'être des journaux techniques destinés à aider la femme au foyer, ils ne diffèrent pas sensiblement du célèbre *Journal des Dames et des Demoiselles.* Depuis un demi-siècle, ils tiennent fidèlement leur public à l'abri des grandes idées, des combats et des problèmes de notre temps, qui ne sont pas censés intéresser les personnes du sexe. Pourtant en 1789, en 1830, en 1848 surtout, s'étaient créés des journaux d'opinion au service des droits des femmes. En 1897, *La Fronde,* quotidien entièrement rédigé, administré, distribué par des femmes, sans appuis politiques, sans fonction publicitaire et sans assise commerciale, a atteint jusqu'à 200 000 exemplaires ! En 1900, on comptait presque autant de périodiques féministes que de magazines de mode, ce qui semble incroyable aujourd'hui [1]. Dans notre presse actuelle, on n'entend plus qu'un écho assourdi du monde extérieur et de la vraie vie. Les grands événements ne s'y reflètent jamais

1. Cf. *La Presse féminine* par Evelyne Sullerot chez Armand Colin.

qu'à travers nos soucis à nous : la guerre du Vietnam parce que des enfants meurent, la sécheresse au Sahel parce que des mères n'ont plus de lait, la misère des hôpitaux parce que des femmes y accouchent. On nous parle peu de la misère des vieilles personnes, de celles que nous serons toutes, parce que la vieillesse est interdite de séjour dans cette presse qui se veut optimiste et rassurante. On nous parle même peu de notre âge mûr, parce que la maturité n'intéresse pas les hommes. Enfin, tout cela est noyé, qu'il s'agisse de savoir-vivre, de vêtements ou de sentiments, dans ce style paternaliste et moralisateur qui, jusqu'à ces dernières années, a toujours caractérisé la presse féminine.

Depuis 1758, date de création du premier périodique à l'usage des dames, il ne s'est jamais créé un seul journal humoristique féminin ! Nous ne savons pas rire, nous ne savons pas jouer et personne ne nous y encourage. Depuis l'enfance personne ne nous y a encouragées. Les jeux des petites filles, qui se déroulent presque toujours à l'intérieur de la maison, sont souvent interrompus ou différés afin qu'elles aident aux tâches ménagères et, de toute façon, leurs jouets, dînettes, poupées, panoplies de femme de ménage, ont déjà pour but de les préparer à leur rôle d'épouse et de mère alors que les jeux libres des garçons les préparent à l'imagination et à la liberté. On respecte les jeux des garçons et même leur oisiveté : ils y ont droit. Et ils y auront droit aussi en tant qu'hommes : quand le père rentre du travail, on fait taire les enfants, on lui ménage un havre de paix. Qui assure à la mère, même quand elle travaille en plus au-dehors, sa part de repos, un moment de cette paix qu'on nomme si justement « royale » ?

En 1900, c'était hier, *L'Echo de la Mode* continuait à organiser l'effacement total de la personnalité féminine : « Dressez vos filles à s'oublier, à sacrifier leurs occupations préférées pour se tenir à la disposition de leurs frères et cela sans montrer bien entendu qu'elles aimeraient mieux faire autre chose. »

Encore aujourd'hui, pendant nos loisirs, on nous cantonne dans l'utile : tricoter sur la plage ou broder devant la télévision, tandis que les fils ou les maris pêchent à la ligne, jouent aux boules ou tapent la belote. Nos magazines à nous ont toujours été des catéchismes, des recueils de commandements, de conseils, de trucs qui visent un seul but : tisser une toile d'araignée pour attraper un homme, puis savoir l'y retenir. Ils ne nous défendent pas nous, ils défendent l'idée que les hommes se font de nous. On se demande ce que peut trouver dans ces journaux une femme qui n'est pas en train de chercher un homme, de vivre avec un homme ou de pleurer le départ d'un homme, tout en s'informant sur les moyens de harponner au plus vite un nouvel homme ! Et cet homme-là imagine mal à quel point ce modèle de femme idéale, prise au piège de la beauté et du foyer, peut être contraignant à vivre. Mais nous y sommes si rompues — c'est le mot — que nous ne songeons même plus à protester.

D'ailleurs, aux Etats-Unis, même travail, même stéréotype de la vraie femme. Betty Friedan, dans un livre qui se lit comme un roman [1], nous en donne un exemple accablant en citant tout simplement le som-

1. *La Femme mystifiée* chez Denoël-Gonthier et au Livre de Poche.

maire d'un magazine américain qui connut un succès foudroyant et s'adressait à 6 millions d'Américaines. En juillet 1960, *Mac Call* proposait à ses lectrices :

1° Un article de fond sur la calvitie qui peut frapper les femmes.

2° Un long poème dont le sujet est un enfant, et intitulé : *Un garçon est un garçon.*

3° Une nouvelle montrant une fille de moins de vingt ans qui ne fait pas d'études supérieures, ce qui lui permet de ravir le fiancé d'une brillante étudiante.

4° La première partie des confidences du duc de Windsor : « A quoi la duchesse et moi occupons notre temps et de l'influence vestimentaire sur mes humeurs. »

5° Une deuxième nouvelle sur les aventures d'une jeune fille de dix-huit ans qui suit des cours pour apprendre à marcher en remuant l'arrière-train, à battre des cils et à perdre au tennis. « Aucun jeune homme ne voudra de toi, lui répète sa mère, tant que tu contreras ses revers. »

6° Six pages de photos de mannequins très séduisantes et extra-plates présentant des modèles pour femmes enceintes.

7° Une merveille ensorcelante : des patrons pour paravents.

8° Une méthode complète pour se procurer un deuxième mari.

Et puis des articles de Clare Luce, d'Eleanor Roosevelt, des recettes de barbecue, de beauté...

Sommes-nous si loin des conseils d'éducation de Balzac ? d'Auguste Comte ? de Coubertin ? Ce journal, il nous semble bien l'avoir lu quelque part, n'est-ce pas ? Je dirai même que nous le lisons chaque semaine. Et ce ne sont pas les campagnes courageuses qu'ont menées des hebdomadaires comme *Elle* ou *Marie-Claire*, par exemple en faveur de la contraception ou de l'avortement, qui suffiront à modifier profondément notre presse. Elle se limite à des problèmes trop étroits, trop spécifiquement féminins; elle partage trop la peur habilement entretenue de toute action originale, de toute idée neuve, de toute révolte qui risquerait d'écarter la femme du type idéal, désespérément banal et déjà reproduit à tant de millions d'exemplaires. Enfin les impératifs économiques et surtout l'obligation de conserver leurs supports publicitaires empêchent ces journaux d'être vraiment au service des femmes.

Le décalage est bouleversant quand on compare nos bréviaires de prêtresses du foyer aux hebdomadaires d'évasion masculins. Sans remonter à *Paris sans rideaux* et autres coquineries du début du siècle, que voyons-nous dans les illustrés de nos fils et de nos maris ? Des traitements pour faire fondre les brioches ? Des conseils pour enlever leurs taches de sauce eux-mêmes ou pour maintenir le pli de leur pantalon ? Des idées pour jouer avec leurs enfants le dimanche ? Une leçon de couture sommaire qui les rendrait aptes à recoudre un bouton ? Rien de tout cela pour la bonne raison que ces messieurs n'achèteraient pas deux fois d'aussi enquiquinantes productions. Ce n'est pas qu'ils soient congénitalement incapables de manier l'aiguille, mais pour rien au monde ils ne voudraient détromper leurs épouses attendries par tant d'incompétence ! Ils ne veulent pas non plus conduire les affreux Jojos voir Mickey le dimanche. Et le match de rugby à la télé, alors ? Nos journaux de femmes les mèneraient tout droit à la dépression nerveuse.

Ils savent de plus par expérience qu'ils peuvent se permettre d'être chauves, amputés, bedonnants ou vieux, sentir la vieille pipe ou avoir le nez de Cyrano et être néanmoins aimés par la plus jolie fille du monde. C'est pourquoi ils préfèrent feuilleter d'un air sournois des magazines où des créatures de rêve, qui ressemblent rarement à leurs épouses bien-aimées, ont pour toute ambition, non de réussir le bœuf miroton, mais d'émouvoir leurs sens grâce à des mérites dont elles ne font aucun mystère. Et puis dans les pages de publicité, entre le poster géant d'Andréa Ferréol, l'interview d'un chef d'Etat et trois histoires cochonnes, leurs regards ne se posent que sur des sujets euphorisants : voitures de sport, fusils de chasse, tabacs blonds, champagnes bruts et auberges accueillantes... On comprend qu'ils se contentent d'un coup d'œil distrait sur nos magazines à nous, « juste pour les photos », qui sont souvent fort belles. Si belles que parfois, en refermant un de ces merveilleux hebdomadaires faits avec tant d'art par des photographes de talent, des stylistes d'avant-garde, des rédactrices intelligentes, on a envie de hurler.

Nos publicités à nous n'ont qu'un but : nous rendre conformes à l'image idéale du désir masculin. A l'arrière-plan de la plupart des illustrations, un homme qui nous observe, nous juge, nous renifle, se détourne avec dégoût ou nous tend les bras si tout va bien. Peut-être suis-je trop vieille et ces magazines que j'ai feuilletés pendant trop d'années ne sont-ils plus faits pour moi ? Peut-être plaisent-ils tout à fait aux jeunes générations que le matraquage moral et publicitaire n'a pas encore épuisées ? Il me semble à moi que nous avons atteint la limite de saturation et que l'écœurement est imminent.

L'éminent Paul Guimard écrivait en 1971 dans un éditorial de *L'Express* consacré à « la Française des spots » telle que les archives télévisées pourraient la révéler à un sociologue de l'an 3000 : « Voici donc les femmes de nos vies en cette deuxième moitié du XXe siècle : elles sont affligées d'innombrables disgrâces. Leurs cheveux sont secs, cassants, fourchus, fragiles. Leur peau est grasse, éruptive, à la merci du soleil comme du froid... Des rides ravinent prématurément leurs visages et plissent leurs cous. Les dents des femmes d'aujourd'hui s'entartrent volontiers, phénomène d'autant plus regrettable qu'il s'accompagne d'une propension à la fétidité de l'haleine... Autant l'homme vit en odeur de sainteté, autant la femme est génératrice de remugles dont le sillage incommode les danseurs, les fiancés et jusqu'aux chefs de bureau... De plus leurs mains seraient rugueuses et crevassées si par bonheur elles ne faisaient pas la vaisselle, la lessive et le ménage avec des produits qui sont autant de bains de Jouvence. On notera que les préoccupations de ces malheureuses franchissent rarement les frontières de l'univers des détergents. Hantées par la blancheur, elles se racontent de pathétiques histoires de linge pollué, d'éviers graisseux, de sols tachés, à l'exclusion de tout autre sujet de conversation. »

Cette religion de la consommation étant poussée jusqu'à l'obscène et l'image de la femme jusqu'à la caricature, nous croulons depuis quelque temps dans la presse féminine sous ces engins « infiniment féminins » — j'ai lu cette formule incroyable — qui tendraient à faire croire que la femme n'est jamais si bien elle-même que munie d'un pansement. Jusqu'à ces dernières années, les lis, les camélias et les lilas blancs pleuvaient sur nos fins de mois lunaires : fleurs blanches qui symbolisaient les jours rouges. Seul Ruby annonçait discrètement la couleur. Aucun fabricant n'aurait osé géranium ou groseille à maquereau ! Pas de réalisme surtout : des silhouettes éthérées dans des paysages embrumés vantaient celles qu'on appelait dans mon enfance des serviettes hygiéniques. Comme les seaux. Aujourd'hui, on les baptise plus élégamment protections périodiques ou garnitures mensuelles, mais à proportion que le terme est devenu plus abstrait, les images se sont faites précises. Plus de jeunes femmes en péplums, mais des fesses, des slips moulant étroitement des pubis, des garnitures quadruple épaisseur avec feuillet imperméable, grandeur nature en pleine page, des tampons avec leur cordonnet en train de tripler de largeur dans un verre d'eau... Pourquoi pas un verre de vin ? A l'allure où vont les choses, à quand la photo d'une « protection » usagée pour bien montrer qu'elle absorbe sans être transpercée ? « Plus de gerçures avec la Sanguinaire, la serviette qui aime votre sang. »

En revanche, car il faut équilibrer réalisme et idéalisme, les textes publicitaires évoquent bonheur et liberté. Mais pour nous, les grands sentiments débouchent toujours sur les petits détails; cette liberté, ce n'est pas celle des peuples ou des opprimés, c'est celle que nous pouvons désormais nous offrir même aux jours difficiles... Toutes nous pourrions être heureuses d'être femmes avec l'adhésive profilée invisible;

quant à la sécurité du lendemain, c'est Supercrocus 2000 dans notre sac à main.

Bien sûr, il ne faut plus cacher comme une tare ce qui n'est qu'une servitude ennuyeuse : ce n'est pas cher payer finalement pour tous les bonheurs de la maternité. Mais la publicité, quand elle s'adresse aux femmes, a le don de pousser l'amalgame jusqu'au délire. Nos insatisfactions, nos amertumes, nos difficultés sont régulièrement minimisées, puis canalisées par d'habiles manipulateurs et converties en besoin d'acheter tel ou tel produit. Et nous y avons été habituées si régulièrement, si constamment, que nous ne réagissons plus devant cette escroquerie et que nous nous laissons enfermer dans le petit monde où le bonheur se réduit aux devoirs accomplis et aux petits gestes de la vie quotidienne dans lesquels on nous demande d'investir l'immense charge d'énergie et d'amour que représente un être humain.

Je vois rouge quand je lis un texte publicitaire comme celui-ci, qui est non seulement imbécile mais nuisible : « Il y a mille façons de prouver son amour. Aimer, c'est donner, c'est recevoir, c'est savoir ce qui sera, pour ceux que vous aimez, le plus salutaire. Le papier hygiénique Soft est celui qu'il leur faudra toujours. » (Lu dans un magazine américain.)

Acheter du Soft, c'est en somme mériter un peu plus la sublime auréole. *Vous n'allez pas avaler ça*, comme dit si bien Fanny Deschamps [1]. Eh bien si, comme de braves oies que nous sommes. Et ce n'est pas une consolation de découvrir que dans tous

1. Dans le livre qui porte ce titre et qui a paru chez Albin Michel et en Livre de Poche.

les pays civilisés les femmes sont au même régime.

Mais il y a pire. Voilà qu'un jour, malgré l'optimisme de rigueur, la quarantaine arrive et puis cette chose impensable, la cinquantaine ! La beauté s'en va à pas de loup... et à prix d'or; les enfants sont partis (heureux quand ce n'est pas en claquant la porte), le foyer n'est plus un métier à plein temps ni une raison suffisante de vivre, et le mari, s'il est encore là, se trouve en général au meilleur de sa carrière alors que vous êtes au bout de la vôtre, celle qu'on vous avait tant recommandée comme la panacée « universelle ». Vous vous retrouvez démobilisée par le mariage de votre dernier enfant, sans pécule pour vos années de service, sans métier utilisable puisqu'une mère de famille doit inscrire sur les formulaires « sans profession ». Il ne vous reste plus qu'à poser pour la carte Vermeil à la portière d'un train. L'homme de cinquante ans, lui, s'amuse encore. Il est président du Joyeux Gardon, maire de son village, il marie sa fille peut-être, mais il peut aussi épouser sa secrétaire. Pour vous, tout se dérobe. L'auréole tombe en miettes, tout le monde l'a oubliée. C'est le vide et, dans la presse, le silence car il ne faut pas attrister la clientèle. Comment les femmes ne seraient-elles pas saisies d'angoisse à l'idée qu'elles ont encore la moitié de leur vie à vivre ? Qu'on ne leur a appris que l'amour et le dévouement et qu'il est bien tard pour changer leur fusil d'épaule et cultiver ce minimum de sain égoïsme qui permet de survivre à l'ingratitude normale des siens ? Puisque nous acceptions si facilement d'être des femmes-objets, ne nous étonnons pas d'être soumises aux lois de la société de consommation : quand nous ne sommes plus consommables, on nous jette. La cuisinière humaine se démode tout comme la cuisinière électrique.

Il faudrait beaucoup d'humour, mieux, beaucoup de mauvais esprit pour nous tirer de là. Or, ce sont les deux « défauts » qui nous manquent le plus. On rêve d'un *Charlie Hebdo* pour dames qui jonglerait enfin avec notre auréole et nos valeurs les plus sacrées, ces sacrées valeurs ! Non pour les détruire mais pour le bon rire libérateur. Un revêtement longue durée pour la peau et qu'on nous parle enfin d'autre chose.

Nous risquons d'attendre longtemps, je le crains, ce *Charlotte Hebdo*. Pourtant, depuis quelques années le ton de certaine presse féminine a changé. On admet qu'une femme veuille vivre autrement que par procuration; on ne conseille plus systématiquement aux filles séduites de se marier, aux épouses trompées de la boucler et aux femmes en général de s'écraser. Des personnes comme Fanny Deschamps ou comme Ménie Grégoire, à la radio ou dans la presse (la télévision ne s'ouvre pas encore à elles, pourquoi ?), font tout doucement la révolution. Il est de bon ton d'en sourire ou de hausser les épaules. Ce n'est pas Roland Bartes ou Edgar Morin bien sûr. C'est beaucoup plus important. Pour la première fois, le catéchisme insinue que la femme n'a peut-être pas été créée uniquement pour l'homme et que transmettre la vie ne dispense pas de la vivre. Même la dédier à un homme, fût-il grand, ne justifie pas qu'on renonce à vivre ce don unique, SA propre vie, cette merveille, et cette obligation aussi, qu'est une vie. Une phrase de Clara Malraux dans ses beaux livres de Mémoires [1] m'a toujours émue : « Je

1. *Le Bruit de nos pas,* tome IV chez Grasset.

m'apercevais que vivre avec André était un cadeau royal que je payais de ma propre disparition. » Elle n'a pas toujours voulu payer ce prix et qui peut l'en blâmer ? Et combien d'épouses ont payé d'une disparition définitive des « cadeaux » qui, eux, n'avaient rien de royal ?

Beaucoup de femmes sont hérissées par *Hara Kiri, Charlie et Cie,* scandalisées par la scatologie, les plaisanteries ignobles — elles le sont —, l'irrespect total même devant la mort. Elles imaginent mal le soulagement, le défoulement qu'elles éprouveraient en contractant le goût de la... rigolade. Le mot déjà leur fait peur, il n'est pas « féminin ». Les dîner d'anciens combattants, les parties de chasse, les sorties entre hommes n'ont souvent pas d'autre utilité. Mais les femmes se sentiraient coupables de se réunir simplement pour s'amuser, pour dire des bêtises, pour se retrouver. Elles emmèneraient leurs enfants, leur tricot, ou tout simplement leurs complexes ou leurs horaires et tout serait perdu.

Car un phénomène marque profondément l'existence des femmes : l'infiltration maligne des travaux domestiques dans tous les actes de leur vie. Une femme a toujours un paquet de linge sale à déposer en partant au cinéma, le pain à ne pas oublier en rentrant du travail et, si elle a un amant qui habite en face du *Bon Marché,* je la crois capable « d'en profiter » pour acheter à son mari le thé de Chine qu'il aime et qu'on ne trouve que là. La pesanteur, parfois incompréhensible pour les hommes, des travaux féminins, c'est ça, c'est ce constant souci de faire ce qu'on attend de vous. Jeter son bonnet par-dessus les moulins, peut-être... mais la liste des courses à faire, jamais !

C'est pour ces femmes-là qu'un *Charlotte Hebdo* serait une délivrance, une saine diversion. C'est fou ce qu'on s'habitue vite à la grossièreté quand elle correspond à une vérité ou à une nécessité. Je me souviens de mes haut-le-cœur les premiers temps en lisant, dans *Charlie Hebdo* précisément, les ignominies de Cavanna, Cabu, Reiser ou Wolinski sur ce qu'ils appellent toujours les Tampax. Ces journalistes impies violaient un tabou en osant rire au grand jour de ce dont nous parlons tout bas. Et puis, à mesure que je lisais ces plaisanteries obscènes, que je les voyais lire par des hommes, mes proches, me venait une sorte de délivrance, comme si elles exorcisaient enfin cette cérémonie secrète et honteuse dont nous accomplissions tristement les rites entre femmes, à peine délivrées des racontars moyenâgeux et de la malédiction originelle.

Je me sentirais très capable d'envoyer Cavanna m'acheter des Tampax, maintenant ! C'est le seul homme auquel je demanderais ce service sans réticence, parce que lui, les Tampax, ça le fait rigoler. Quel cadeau il m'a fait !

CHAPITRE IV

LA HAINE DU C...

« Je le lui ai tenu ouvert et j'ai dirigé la lampe dedans. Je n'avais jamais de ma vie examiné un con si sérieusement. Et plus je le regardais, moins il était intéressant... Quand tu regardes une femme avec des vêtements dessus, tu imagines toutes sortes de choses; tu leur donnes une individualité, quoi, qu'elles n'ont pas, naturellement. Il y a tout juste une fente entre les jambes.
(...) Il n'y a rien dedans, absolument rien. C'est dégoûtant. »

HENRY MILLER.

PAR c..., bien sûr, je ne veux pas dire cul. Le cul, c'est gaulois, c'est joyeux; en un mot, c'est viril.

Le c... dont je parle, c'est le péché, la source de tout mal, c'est le trou méprisable, l'étui pour l'organe roi qui seul lui confère sa raison d'être. C'est en un mot la femme. Par lui-même il n'est rien. Un trou n'est rien. Il est creux, négatif, vide. Il est pourtant haïssable. Le mot qui sert à le désigner est d'ailleurs une injure ainsi que ses dérivés. Sale connasse est une insulte raciste comme sale juif ou sale nègre. Qui a jamais traité un homme de sale verge ou de vieille bitasse ? Faut-il vraiment croire à un hasard ?

A propos, vous saviez, vous, qu'au Yémen, en Arabie Séoudite, en Ethiopie, au Soudan, on excisait encore les petites filles ? Qu'en Egypte, sous le nom de *Knifâdh*, la totalité des filles de la campagne et un grand nombre de celles des villes sont actuellement encore soumises à cette mutilation sexuelle [1] ? Qu'elle est fréquente en Guinée [2], en Irak, en Jordanie, en Syrie, en Côte-d'Ivoire, chez les Dogons du Niger et obligatoire dans de nombreuses tribus africaines ?

Saviez-vous que les momies de sexe féminin retrouvées en Egypte, pays dont on vante la civilisation libérale, sont toutes amputées de leur clitoris ? Oui, y compris Néfertiti et Cléopâtre.

Qu'en 1881 l'interdiction de cette sanglante pratique par les missionnaires catholiques d'Abyssinie provoqua une telle révolte des indigènes mâles que le pape dut envoyer une délégation spéciale chargée d'examiner la question sur place ? En vain, d'ailleurs, puisque les Abyssins menacèrent de ne plus faire baptiser leurs filles et que l'Eglise, préférant les âmes aux organes sexuels, choisit de s'incliner et de « reconnaître la nécessité de l'opération ».

Saviez-vous enfin que pour compléter le bouclage de leurs femmes, plusieurs peuples au Soudan, en Somalie, en Nubie, à Djibouti, en Ethiopie ainsi qu'en

1. Lawrence Durrell dans *Justine* évoque « la cicatrice brune logée entre les deux marques jumelles de la jarretelle ».

2. 84 p. 100 des filles sont excisées dans la très progressiste Guinée. (Pierre Hanry, *Erotisme africain*, éditions Payot.)

Afrique noire [1] ajoutent à la clitoridectomie, qui leur paraît sans doute insuffisante, une trouvaille originale, l'infibulation, qui garantit au futur mari au prix d'un muselage vulvaire très douloureux la « nouveauté » de sa jeune épouse ?

Non, vous ne le saviez pas. Ou bien vous pensiez vaguement que c'était un usage des âges barbares, tombé en désuétude. Personne ne le sait parce que personne n'en parle. Ce sont des histoires d'organes féminins, donc sans importance. Chacun fait ce qu'il veut de sa femme, de sa maison, de son chameau, n'est-ce pas ? cela ne regarde personne. A l'Unesco, on se tait pudiquement : on ne va pas se mettre à parler de clitoris dans de doctes assemblées ! Ah ! si ces peuples coupaient le pouce ou le nez de leurs femmes, on pourrait s'indigner... Chez les explorateurs, les ethnologues et les grands reporters, on feint de croire à une pittoresque tradition religieuse et l'on n'évoque que discrètement les cérémonies d'initiation des jeunes filles. Dans les associations féminines, on ne parle guère de ces choses-là. L'utérus, les ovaires, à la bonne heure : ce sont des organes de reproduction. Mais ce petit truc uniquement voué au plaisir, c'est indécent. Et puisque cet organe est inutile à l'homme et à la procréation, il faut donc l'ignorer ou le détruire. Ce qu'on a fait. Les manuels d'anatomie jusqu'au siècle dernier n'en faisaient même pas mention et le mot n'est apparu que tardivement dans le *Petit Larousse*. De même en Inde ou en Perse les fameux

1. Chez les Danakyl, les Barabra, les Rubra, les Ngala, les Harari, les Zoulous, si vous voulez le savoir, et chez certains Bédouins. (Alain de Benoist, *Les Mutilations sexuelles*, paru dans Nouvelle Ecole, mars 1973.)

traités d'amour dont la réputation érotique est très surfaite ne font jamais allusion au plaisir clitoridien.

Pis qu'inutile, ce détail anatomique est nuisible car il procure aux femmes un plaisir gratuit, même sans le concours du mâle. Or le plaisir de la femme, lui aussi, est inutile à l'homme pour qui compte d'abord la propriété exclusive d'un sexe féminin réduit à l'essentiel. Contrairement à ce qu'on se plaît à imaginer aujourd'hui, dans la plupart des cas, l'homme ne cherche pas dans les rapports sexuels un échange de plaisirs car l'échange suppose entre les partenaires un minimum d'égalité. Or ce minimum, le mari le refuse à sa femme, toute liberté féminine constituant un risque pour lui. C'est pourquoi « la haine du clitoris est quasi universelle », comme a pu l'écrire le docteur Gérard Zwang, dans *Le Sexe de la femme.*

Même en Turquie ou au Maghreb, pays islamiques où l'on ne mutile pas les filles, du moins physiquement, un homme doit se garder de toucher au clitoris ou, geste plus répréhensible encore, d'y porter la bouche. C'est un principe absolu. L'organe féminin convenable doit se réduire à un orifice parfaitement accessible et entouré d'une zone lisse obtenue par des « séances d'épilation collective destinées à nettoyer ses abords... Car dans notre société algérienne, les femmes n'ont qu'un droit : posséder et entretenir un organe sexuel [1]. »

Hélas ! même au prix d'une mutilation, la garantie de l'époux n'est jamais absolue et définitive, le principal organe sexuel de la race humaine n'étant pas situé

1. Lire à ce sujet les beaux et terrifiants romans de Rachid Boudjedra sur la condition féminine en Algérie : *La Répudiation,* éditions Denoël.

entre les jambes mais dans la boîte crânienne... Cependant, l'instruction réduite à zéro pour les petites filles, la vie cloîtrée du jour des règles au jour de la ménopause, le châtiment capital en cas d'adultère et l'interdiction de toute liberté, même dans le choix du mari, constituent pour l'époux de solides atouts.

Et puis, heureusement pour les hommes, « l'origine de ce désir, l'absurde clitoris, est parfaitement accessible au couteau » (Zwang). On trouve d'hallucinantes descriptions de cette vivisection et de ses conséquences psychiques et physiologiques dans le livre que Youssef el Masri consacre au *Drame sexuel de la femme dans l'Orient arabe*.

D'Alexandrie à Khartoum et dans les pays voisins, l'ablation s'effectue vers sept ans. La très riche innervation de cette région donnant un caractère extrêmement douloureux à l'intervention, la patiente, allongée à même le sol, doit être prise en main par des femmes qui lui maintiennent les jambes écartées et tentent d'éviter les tressautements des cuisses lors de la section du nerf dorsal du clitoris. Le découpage doit être large « car une excision limitée ne constitue pas une garantie suffisante contre le dévergondage des filles ». (On ne peut avouer plus clairement qu'il s'agit bien, sous couvert d'un rite religieux, de supprimer toute possibilité de plaisir chez les femmes.) Aucun instrument adéquat, aucune aide médicale, aucune anesthésie. Dans le meilleur des cas, en Egypte, on ne compte dans les campagnes que 1 000 médecins pour 18 millions d'habitants ! Les exciseuses opèrent avec un couteau courbe ou un rasoir qui doivent être très bien affûtés lors de l'incision, faite le long des nymphes car les corps caverneux sont résistants. L'intervention doit être minutieuse pour éviter les coups de tranchoir dans le méat urinaire, tout proche, ou le périnée. En fait de soins postopératoires, les matrones disent grand bien des emplâtres d'excréments d'animaux. Inutile d'avoir fait sa médecine pour comprendre que le tétanos, l'infection urinaire ou la septicémie ne sont pas rares. Quant au périnée des survivantes, il devient le siège d'une sclérose difficilement dilatable et qui ne demande qu'à se déchirer lors des accouchements... et ils sont nombreux. En dehors des cas mortels, le « déchet » du rituel comprend aussi les victimes d'une conséquence particulièrement atroce de l'excision, le développement d'un névrome au point de section du nerf clitoridien. Le moindre attouchement de la région déclenche de fulgurantes douleurs « semblables à celles du moignon chez certains mutilés » (Zwang). C'est regrettable, mais Inch Allah ! Du moins ces femmes-là ne risquent plus d'être utilisées par personne.

En Afrique, chez les Nandis, l'exciseuse attache la veille de l'opération une ortie sur le clitoris de chaque fille pour que, gonflé à l'excès, le capuchon soit facile à saisir avec une pince, ce qui permettra d'appliquer sur l'organe à détruire le tison de bois sacré. « Chaque fois qu'un clitoris est détruit, les femmes plus âgées crient leur joie. La mère et les sœurs de l'initiée s'approchent en hurlant et la poussent à danser malgré l'abondante hémorragie. » (*Eros noir* de Boris de Rachlewitz.) La cicatrisation demande deux à trois semaines au bout desquelles la jeune fille possédera un sexe bien net, « purifié », le mot est d'un philosophe arabe.

Nous ne voulons rien qui pend à cet endroit-là chez nos femmes. (Précepte nandi.)

Pour les maniaques de possession, ce n'était encore pas suffisant. « Une des plus crapuleuses bassesses engendrées par l'esprit humain [1] », l'excision, peut se doubler d'une assurance complémentaire : l'infibulation. Avant son mariage, une femme n'a nul besoin de son vagin. Il est donc logique de le lui obturer par une « opération pas bien méchante », c'est un journaliste du Caire qui nous l'affirme, un homme, bien sûr. Qui peut mieux parler de la clitoridectomie qu'un journaliste mâle ? « Et l'on débarrassera par la même occasion l'entrecuisse du clitoris et des nymphes qui l'encombrent inutilement. »

A Djibouti, où toutes les filles sont cousues, voici comment Alain de Benoist décrit le bouclage d'une adolescente :

« Le clitoris ayant été préalablement arraché, on pratique une résection des parois des grandes lèvres de manière à réduire les dimensions de la vulve à la moitié de l'orifice vaginal. On rapproche ensuite les parois mises à vif en maintenant les plaies en contact par une résine ou, en brousse, en transperçant les lèvres avec des épines d'acacia. En arrière, on laisse un minuscule orifice pour le passage de l'urine et du sang, que l'on maintient béant pendant la cicatrisation par une tige de bambou. L'opérée devra rester ligotée des hanches aux genoux pendant quinze jours. »

1. Ces mots sont du docteur Gérard Zwang, souvent cité, auteur de *La Fonction érotique* (Laffont) et du *Sexe de la femme*, premiers ouvrages qui parlent de la sexualité avec humour et du corps féminin avec amour. Toutes les femmes devraient le lire pour se réconcilier avec elles-mêmes ou pour le plaisir.

On imagine le calvaire qu'est la cicatrisation, les douleur réveillées par le passage de l'urine, l'obligation de dormir et de marcher un coussin entre les cuisses pour ne pas comprimer la vulve boursouflée, grossièrement cousue et qui deviendra une cicatrice hideuse.

Il restera le soir des noces à couper la bande de garantie en présence du mari. La jeune épouse, qui n'a en général que douze à quinze ans, est rouverte au rasoir avant le passage de l'époux auquel il est recommandé d'user de ses droits plusieurs fois par jour les premiers temps afin d'éviter une fermeture intempestive de la plaie. Lors du premier accouchement, il faudra également séparer au couteau les grandes lèvres durcies par le bourrelet cicatriciel. On imagine sans peine ce que peut représenter l'amour pour des êtres ainsi torturés.

La femme d'ailleurs n'est pas quitte : l'opération peut être renouvelée à la demande de l'époux après une naissance ou lors d'un long voyage.

Mais toutes les complications, ratages opératoires, fistules lors des accouchements faisant communiquer le vagin avec le rectum ou l'urètre, sans parler bien sûr de la frigidité totale pour 95 p. 100 des mutilées, ne pèsent rien en face du but recherché : extirper à la base le désir féminin et interdire à la femme de disposer de son corps.

On a mal au c..., n'est-ce pas, quand on lit ça ? On a mal à ses caractéristiques féminines, on a mal au cœur de soi-même, on a mal à sa dignité humaine, on a mal pour toutes ces femmes qui nous ressemblent et qui sont niées, esquintées, détruites dans leur vérité. Et on a mal aussi pour tous ces imbéciles d'hommes qui croient aussi indispensable d'être supérieurs en tout et qui ont choisi pour cela la solution la plus facile et la plus dégradante pour tous les deux : rabaisser l'autre.

Rares sont ceux qui ont dénoncé ces très anciennes pratiques. Elles sont au contraire férocement maintenues dans les pays d'Afrique, devenus indépendants, et défendues par leurs « intellectuels », qui sont tous, est-il besoin de le préciser, de sexe masculin. Ecoutez l'écrivain malien Yambo Ouloguem, licencié en philosophie, nous décrire le ravissement des filles de son pays le soir des noces : « Nombre d'hommes se trouvèrent heureux d'avoir à conquérir à l'occasion du mariage un plaisir nouveau, sadique, quand ils défloraient, sexe picoté d'épines, flancs éclaboussés de sang, leur maîtresse, elle-même ravie et morte plus qu'à moitié de plaisir et de peur. »

Et il ajoute dans *Le Devoir de violence* cette constatation rassurante : « L'ablation du clitoris et la terreur du châtiment de tout adultère (administration sur la place publique d'un lavement d'eau pimentée où nagent des fourmis) ont apaisé fortement le tempérament de nos négresses, assagies du coup. »

Mais ne jetons pas la pierre à Yambo Ouloguem, qui a l'excuse d'être né d'une mère coupée, sans la jeter aussi à tous les complices de la mutilation érotique des femmes, à la désolante Marie Bonaparte entre autres, qui eut l'occasion d'examiner beaucoup de femmes excisées en Egypte et qui conclut dans *La Sexualité de la femme*, en 1951, que cette mutilation est parfaitement justifiée « puisqu'elle parfait la féminisation en supprimant un reliquat inutile du phallus ». Inutile pour qui ? Au nom de quoi ? On aimerait savoir si Marie se servait ou non de son clitoris ?

Comme le remarque le docteur Zwang avec son réconfortant cynisme : « La clitoridectomie, c'est la santé. »

En somme, en Orient, en Afrique ou en Europe, la religion et la science habilement manipulées ont toujours fourni les justifications nécessaires à l'asservissement physiologique, moral et intellectuel des femmes. La méthode peut paraître naïve aujourd'hui... elle donne pourtant depuis des millénaires d'excellents résultats. Il suffit pour qu'elle fonctionne de s'assurer la collaboration de Dieu, un dieu dont seuls les hommes semblent connaître les desseins, et de s'appuyer sur des données physiologiques, une physiologie dont seuls les hommes ont jeté les bases. Ce self-service s'est révélé une méthode si sûre qu'il continue. C'est ainsi qu'en plein XXe siècle, le grand muphti de La Mecque apportait la caution de la religion musulmane à la mutilation des petites filles en déclarant : « L'excision est agréable à Allah. » Comment le sait-il puisque le Coran n'en parle jamais ?

C'est ainsi que les Bambaras excisent le clitoris en prétextant que son dard *(sic)* peut blesser l'homme et même occasionner sa mort.

Les Nandis, eux, ont observé que les filles auxquelles on laissait cet organe maléfique dépérissaient et mouraient à la puberté.

Quant aux chirurgiens égyptiens qui pratiquent encore cette intervention à la demande des maris, ils prétendent le plus sérieusement du monde que la chaleur du climat développe des clitoris énormes qui entraînent les porteuses à de véritables folies lubriques, les empêchent de faire pipi et forment plus tard un obstacle à l'accouchement. Il faut préciser, car cela paraît incroyable, qu'il ne s'agit pas de l'obsession d'un maniaque mais d'une position officielle puisqu'en 1970, le docteur Mohammed Hosni Korched, directeur général des hôpitaux au ministère de la Santé, conseillait l'opération pour « soulager les femmes et limiter leur appétit sexuel ».

Nous aurions tort de rire de ces sornettes du haut de notre science occidentale. Les médicastres ou les psychiatres de chez nous affirmant au XIXe que l'instruction ou le sport pouvaient rendre les femmes stériles, ou nos bons médecins de famille prétendant jusqu'à une époque toute récente que les petites filles qui se livraient à la masturbation s'anémiaient, dépérissaient et pouvaient même souffrir de troubles mentaux, rappellent étrangement les sorciers africains. Bien sûr les méthodes de nos sorciers à nous sont moins sanglantes, mais le mécanisme de pensée et les arguments sont à ce point semblables qu'on en ressent une sorte de malaise. Tout se passe comme si une complicité tacite liait les hommes entre eux. Comment expliquer sans cela qu'aucun d'eux ne se scandalise devant ces millions d'êtres humains privés de plaisir, ces milliers de petites filles cousues, ces millions d'épouses séquestrées pour la vie, vendues enfants à des maris qu'elles ne verront que le jour de leurs noces, voilées, violées, rasées, répudiées, interdites de lumière, conservées dans un réduit au fond d'un gourbi jusqu'à la naissance prestigieuse d'un mâle ? Le problème n'est jamais abordé. L'opinion publique l'ignore.

Quelques hommes courageux pourtant ont prouvé

qu'il était possible de soulever le couvercle plombé des traditions. Mustafa Kemal en Turquie, Bourguiba en Tunisie. Et Ben Bella l'aurait tenté sans doute, qui disait aux premiers temps de l'indépendance : « Il y a dans notre pays 5 millions de femmes qui subissent un asservissement indigne d'une Algérie socialiste et musulmane... La libération de la femme n'est pas un aspect secondaire de nos objectifs, elle est un problème dont la solution est un préalable à toute espèce de socialisme. »

Ben Bella est en prison. Les femmes aussi. Et l'islam règne en maître, que Renan appelait « le plus lourd boulet qu'ait jamais eu à traîner l'humanité ».

Quelques colonisateurs eurent le courage de ne pas s'abriter derrière le respect des coutumes indigènes, noble motif pour ne rien faire, et obtinrent de certains gouvernements que des mesures soient prises. En 1947, Khartoum publia un décret interdisant l'infibulation et exigeant l'anesthésie générale pour l'excision. Il resta lettre morte. De toute façon chacun savait bien qu'il n'y avait ni médecins ni anesthésiques au Soudan ! Et par ailleurs la Soudanaise « entière et béante » ne trouvait pas preneur.

En 1958, l'excision fut interdite à Aden, territoire britannique. On dut la rétablir l'année suivante.

Au Kenya, la révolte des Mau-Mau fut dirigée en partie contre la tentative des autorités anglaises de décourager la clitoridectomie. La riposte fut cinglante : les Mau-Mau s'offrirent le plaisir d'exciser un certain nombre d'Anglaises faites prisonnières au cours des combats ! Et le leader Jomo Kenyatta, élevé sur les bancs de l'université anglaise, précisait clairement dans son livre *A l'ombre du mont Kenya* : « Pas un Gikuyu digne de ce nom ne souhaite épouser une fille non excisée car cette opération est la condition *sine qua non* pour recevoir un enseignement moral et religieux complet. » Enfin en 1963, prenant le pouvoir, Jomo Kenyatta s'empressait de rétablir officiellement la clitoridectomie, « sottement combattue par des pro-Africains trop sentimentaux ».

Il faut dire que les résultats de cette opération sont sensationnels. Médicalement, c'est une parfaite réussite : 95 p.100 des femmes excisées, faute d'une maturation normale du circuit orgasmique, restent d'une insensibilité vaginale absolue. Sociologiquement, les résultats sont moins positifs... Pour reprendre une très belle formule de l'ethnologue Germaine Tillion, « il n'existe nulle part un malheur étanche uniquement féminin, ni un avilissement qui blesse les filles sans éclabousser les pères, ou les mères sans atteindre les fils ». Chaque entrave, chaque abus de pouvoir imposés à la femme entraînent leur punition pour l'homme et constituent une cause irréparable de retard pour la société. Le blocage des sociétés musulmanes n'a pas d'autre explication. « Les femmes écrasées fabriquent des sous-hommes vaniteux et irresponsables et ensemble ils constituent les supports d'une société dont les unités augmentent en nombre et diminuent en qualité. » (Dominique Fernandez.)

Entre autres conséquences lamentables, ce brillant succès de la « sagesse orientale » a eu pour effet d'entraîner, notamment chez les Egyptiens, une effarante consommation de hachisch et d'aphrodisiaques, dans le vain espoir de faire vibrer ces invalides érotiques qu'ils avaient eux-mêmes fabriquées. La presse du Caire s'en est émue à plusieurs reprises : « Si vous voulez lutter contre la drogue, conseillait en 1957 la revue *Al Tahrir*, interdisez l'excision. »

Elle fut effectivement interdite en 1960, mais la mentalité viriliste et islamique n'ayant pas évolué, ni la police ni les magistrats ne se soucièrent de faire appliquer la loi.

Il est juste de dire que le Coran n'est pas l'inventeur de cette mutilation. L'excision comme le voile pré-existaient à l'enseignement de Mahomet. Mais il l'a acceptée partout où elle était pratiquée; mieux, il s'en est réjoui. Les femmes juives peuvent rendre grâce à Moïse qui, pour des raisons inconnues, ne ramena pas d'Egypte cette tradition et ne conserva que la circoncision. Mahomet fait allusion une seule fois à l'excision, dans les Hadiths, pour recommander de ne pas trop saccager le voisinage en opérant : *N'interviens pas de façon trop radicale, c'est préférable pour la femme.*

Quand on sait par ailleurs que le Prophète n'a jamais touché de sa main fût-ce la main des femmes qui le vénéraient et suivaient son enseignement, quand on sait que la législation arabe du XIVe définissait le mariage comme « l'achat d'un champ génital », comment attendre la moindre compassion de la part de l'acheteur ? A-t-on pitié d'un champ ?

Côté européen, il y a une quinzaine d'années, cinq pays, dont la France et la Grande-Bretagne, demandèrent à l'O.M.S. une enquête sur ce sujet. Elle n'aboutit à aucun résultat.

Il faut donc bien se résigner à admettre que cette exploitation d'un bétail humain asservi, parqué et réduit au silence, ne continue que parce qu'il s'agit de femmes, et que les hommes et les peuples gardent sur la dernière colonie du monde moderne le même silence hypocrite.

On se souvient des négresses à plateaux de l'Exposition coloniale qui attirèrent en 1931 tant d'amateurs de pittoresque. Quel journaliste, quel magazine féminin se scandalisa de cette douloureuse horreur, qui, comme par hasard, frappait encore une fois les femmes ?

On feignait de croire à une recherche esthétique alors qu'à l'origine c'était l'inverse : les Saras ne cherchaient qu'à défigurer leurs femmes pour décourager les pillards arabes, grands rafleurs d'esclaves féminines.

L'explorateur Vitold de Golish nous décrit lui aussi comme un spectacle piquant ces femmes-girafes de Birmanie du Nord dont la tête culmine élégamment sur une tour d'anneaux de cuivre à 40 ou 50 cm des épaules. Les premiers anneaux sont scellés sur le cou de la petite fille à cinq ans. « Au début, l'enfant a quelque peine à manger et à dormir, mais ses souffrances lui coûtent peu en regard des cadeaux dont on la comble. » Ça, c'est Golish qui le dit. Saluons ces reporters intacts qui décrivent avec tant d'optimisme les souffrances des autres. Tous les deux ans, la rebouteuse vient distendre le cou, déplacer les vertèbres à la limite du supportable et poser une nouvelle spirale. A quinze ans, quand on change les colliers, l'adolescente ne peut déjà plus tenir sa tête, elle est à la merci de ses maîtres. La femme-girafe une fois mariée a-t-elle déplu ? ou trompé son propriétaire ? On fait venir le forgeron qui scie les anneaux. Les muscles atrophiés et les vertèbres disjointes ne pouvant plus remplir leur office, la tête de la coupable s'affaisse, entraînant la paralysie irrémédiable des quatre membres.

De même j'ai lu récemment dans une luxueuse revue mise à la disposition des voyageurs d'Air France la description des cérémonies d'initiation des jeunes filles au pays des Mossis en Haute-Volta. Quelques pages plus loin, un journaliste dénonçait le scandale des chiens abandonnés chaque été par leurs maîtres. Un autre s'indignait du traitement des détenus politiques au Chili. Mais concernant la mutilation de ces petites filles, notre explorateur 1974 n'éprouvait ni pitié ni indignation et calmait tout scrupule de conscience en concluant que « cette opération était destinée à parfaire la féminité de l'adolescente ». Comme si c'était la chose la plus naturelle du monde que l'homme rectifie à sa guise les organes féminins !

Au Congrès international de sexologie médicale qui s'est tenu à Paris en juillet 1974, le professeur Pierre Hanry, spécialiste de l'érotisme africain, tentait de la justifier en ces termes : « L'excision est une tentative conséquente pour favoriser l'*intégration sexuelle de la femme en fonction de critères strictement sociaux.* (C'est moi qui souligne.) La vocation de la femme guinéenne est la maternité. L'excision supprime l'organe du plaisir stérile, donc asocial, pour ne laisser subsister que l'organe du plaisir fécond, donc social. »

Très bien. Tout cela est logique et efficace. Mais qu'on reconnaisse alors que la femme n'est qu'un animal domestique de plus et qu'on peut la traiter comme un bœuf, une oie ou une poule, la châtrer ou l'engraisser pour favoriser son « intégration sexuelle » et la mettre en cage pour améliorer sa vocation de pondeuse.

C'est ce qu'on a toujours fait, d'ailleurs. Des missions religieuses se sont souciées des âmes du tiers

monde. Des industriels se sont occupés de ses ma
res premières de la manière que l'on sait et sans trop
s'encombrer de scrupules. Des militaires ont massacré de-ci, de-là... Des humanistes, des hommes d'Etat ont lutté pour abolir l'esclavage et apporter une instruction élémentaire à ces peuples. Des médecins se sont consacrés à diminer la mortalité infantile ou les maladies endémiques. On n'a rien tenté pour les femmes. Et elles n'ont pas su ou pas pu le tenter elles-mêmes, parce que chacune est isolée dans son foyer, isolée dans l'amour d'un homme ou d'un maître, isolée dans sa *cellule* familiale et dans l'amour de ses propres enfants. Le mot de cellule à lui seul est révélateur. Et toutes ces solitudes additionnées ne font pas un mouvement homogène, seule force capable d'obtenir justice. Si les femmes demeurent aujourd'hui la survivance la plus massive de l'asservissement humain, c'est qu'il reste facile, donc tentant, d'exploiter chacune d'elles séparément.

Car il faut prendre conscience d'un fait et il ne faut plus l'oublier : les abus et les méthodes des gens au pouvoir, où qu'ils soient, se ressemblent. Les seigneurs hier, les riches ou les puissants aujourd'hui, les mâles de tout temps se sont conduits exactement de la même façon vis-à-vis de ceux qu'ils dominaient par la naissance, la fortune ou le sexe. On me dira peut-être que le féminisme m'égare, mais entre les Bambaras, si soucieux de calmer le tempérament de leurs négresses, et bon nombre de nos députés (en général U.D.R.[1]) qui ont pris la parole en 1967, en 1971

1. Il faut excepter bien sûr Lucien Neuwirth, le docteur Peyret, le docteur Pons et quelques autres.

puis en 1973 contre la maternité volontaire, je ne vois pas de différence fondamentale. Je trouve même que l'analogie est terrible entre les propos des exciseurs, muphtis et autres sorciers et les phrases prononcées par certains de nos élus que nous avons continué à élire hélas ! parce que nous sommes résignées au mépris ou à la méconnaissance totale de la féminité que ces propos révèlent. Ces messieurs eux aussi semblent craindre qu'avec la pilule nous ne soyons saisies d'une véritable folie lubrique !

« La fornication sera rationalisée par la contraception... C'est l'abominable exploitation de tout ce qu'il y a d'animal et de porcin dans l'âme humaine. » (Jean Foyer.)

« L'anarchie des mœurs et la facilité décupleront des appétits sans frein... C'est une ouverture aux jeunes des portes de la licence. » (Pierre Volumard, député de l'Isère.)

« C'est un encouragement à ce qu'on pourrait appeler une civilisation aphrodisiaque. » (M. Capelle, P.D.M.)

« Un tel texte ne peut que favoriser la dissolution des mœurs, voire, chez les esprits faibles, la prostitution. » (B. Talon, sénateur apparenté U.D.R.) Etc.

Il fallait voir le visage de ces hommes, contraints de discuter d'une affaire qu'ils considéraient comme purement féminine, donc de seconde zone, et dont ils s'étaient si bien habitués à laisser à la femme la responsabilité et les risques !

Le résultat de cette opposition fanatique à une liberté que la plupart des pays civilisés ont déjà légalisée chez eux ? C'est Jean Taittinger, alors garde des Sceaux, qui eut le courage de le dire clairement dans le beau discours qu'il prononça — en vain — en décembre 1973 : « Tous les jours, depuis des dizaines d'années, mille femmes ont avorté dans l'angoisse et l'illégalité et tous les jours, une de ces mille femmes en est morte. » Comme en 1795, il faut être mère sous peine de mort.

Le résultat du sabotage organisé de la contraception ? Celui que ces hommes escomptaient : 10 p.100 seulement des Françaises prennent la pilule contre 35 p. 100 en Hollande ou en Australie par exemple, pays qui n'ont jamais passé pour des repaires de lubricité !

Mais on retrouve toujours cette idée fixe : les femmes n'attendent que l'impunité sexuelle pour devenir des putes. En nous refusant si longtemps la contraception, nos députés n'ont en somme cherché que notre bien : ils ont tout simplement voulu nous défendre contre nos mauvais instincts et nous calmer le tempérament. Comme aux négresses.

Comment les sept femmes qui siégeaient ce jour-là à l'Assemblée ont-elles pu supporter de s'entendre dire que seule la peur d'être enceintes les retenait de déchaîner leur goût pour la fornication porcine ? Comment ont-elles pu écouter, sans bondir devant tant d'hypocrisie, les propos de tous ces bons apôtres déplorant à la tribune avec une componction attristée « le traumatisme irréparable » qu'est selon eux un avortement, alors qu'ils en ignorent TOUT, physiologiquement et moralement, leur rôle s'étant presque toujours borné dans ce genre d'affaire à la fuite ou, dans le meilleur des cas, à la remise d'une somme d'argent pour ne plus entendre parler de rien ? On aimerait savoir combien de femmes, sur les millions qui ont avorté depuis dix ans, ont pu le faire la main dans la main de l'homme coresponsable, même s'il les aime, même s'il est leur mari, même s'il est d'accord ? Même si c'est lui qui leur a demandé d'avorter. C'est dans les jeunes générations qu'on trouve enfin cette réconfortante solidarité dans le plaisir (ce qui est nouveau aussi) et dans la peine.

Comme on pouvait s'y attendre, en décembre 1973 et en novembre 1974, ce sont les mêmes hommes qui avaient repoussé avec horreur la contraception il y a sept ans, qui refusaient avec indignation l'interruption légale de la grossesse, et dans les mêmes termes grotesques :

« Armée du vice... Décadence qui mène aux abîmes... La libéralisation de l'avortement servira toujours les intérêts des prostituées mondaines du XVIe arrondissement. » (Pierre Bas, député U.D.R. de Paris.)

« Pour éviter que le vice devienne une religion, devenons la société protectrice de ces merveilleux petits Tom Pouce. » (Il s'agit pour René Féït, R.I., de nos fœtus !)

« Il ne faut pas que le vice des riches devienne le vice des pauvres... » (Encore Jean Foyer.)

« La pornographie va tenir lieu d'honneur... » (M. Lioger, U.D.R.)

Michel Debré, dans un « très beau discours », a-t-on dit, s'attacha à définir ce qu'était selon lui la « détresse » d'une future mère :

« N'est pas détresse la solitude d'une femme enceinte et abandonnée. N'est pas détresse le cas de l'adolescente qui redoute son entourage et les responsabilités de la maternité... »

Les mères abandonnées ou les filles mères de quinze ans seront soulagées d'apprendre qu'elles ne sont pas vraiment à plaindre et que les responsabilités de la maternité ne sont pas si lourdes qu'elles le croient !

Dans leur panique, certains députés ont recouru à des arguments révoltants, parlant, à propos d'avortement dans les dix premières semaines, de nazis et de fours crématoires, ou n'hésitant pas à donner aux femmes ce conseil atroce : « Faites-nous des enfants pour la défense nationale. » D'autres avouaient plus franchement leur vraie crainte : celle de ne plus être les seuls maîtres : « Je ne peux admettre l'idée que la loi fasse de la mère la seule et unique responsable des enfants à naître. » (Jacques Médecin, réformateur.)

Quand on sait de quelle façon depuis des siècles tant de pères ont fui leurs responsabilités, quand on connaît le sort qu'ils ont réservé à leurs bâtards dont on aurait pu croire qu'ils étaient nés par parthénogénèse, quand on apprend que presque un père divorcé sur deux ne verse pas la pension alimentaire de ses enfants, on a envie de rire en écoutant M. Jacques Médecin. Ou de pleurer.

« En ce qui concerne le respect de la vie, les femmes n'ont certainement pas de leçon à recevoir de nous », disait modestement Yves Le Foll, député P.S.U., exprimant là une vérité dont personne ne semble tenir compte, alors que tout dans l'histoire quotidienne des femmes le confirme.

Combien de temps encore serons-nous dupes des grands principes, des beaux discours ou des vilains sentiments concernant notre dignité et notre salut, sans voir ce qu'ils dissimulent, ce qu'ils ont toujours dissimulé : le refus de notre liberté, le refus de nous laisser déterminer ce que NOUS jugeons digne ou indigne ? Sommes-nous dépourvues de jugement, de courage, du sens des responsabilités ? En tout cas, nous ne sommes plus dépourvues de droit de vote. Pour les femmes qui se souviendraient le jour venu qu'elles sont aussi des électrices, il faut inscrire au tableau du déshonneur, non pas ceux qui ont voté au nom de leur foi, mais les frénétiques qui ont agité le spectre du vice et de la prostitution, preuve du mépris dans lequel ils tiennent les femmes, même s'ils déclarent ensuite, comme M. Lioger, « qu'ils vénèrent leur mère ». (Encore un qui les adore au lieu de les aimer.) Ces hommes que nous ne devrions plus élire si nous avions le sens de notre honneur, ce sont MM. Jean Foyer, Pierre Bas, Alexandre Bolo, Flornoy, Liogier, Hamelin, U.D.R.; MM. Féït, Weber et Hamel, républicains indépendants; MM. Dailet et Médecin, réformateurs. J'en oublie sûrement. L'abbé Laudrin, on lui pardonne : il est prêtre et il a soixante-treize ans. Mais décernons la palme de l'hypocrisie à M. Robert Boulin, U.D.R., qui n'accepterait « à la rigueur » l'avortement qu'à partir de quatre enfants (et combien de varices ?) et qui s'est réfugié derrière l'insuffisance de la contraception pour voter NON au projet de Simone Veil, alors qu'il fut TROIS ANS ministre de la Santé et bloqua toute mesure contraceptive ! Enfin, la rosette de la Légion du déshonneur à M. Marcel Dassault, U.D.R., fabricant d'engins de guerre, qui accepte très volontiers l'avortement d'une vie d'homme à vingt ans, mais qui vient de voter contre l'avortement à dix semaines.

Il n'est même pas utile de vérifier le reste du programme de ces gens-là : tout se tient. Les hommes de progrès et de liberté respectent aussi les libertés des femmes. Mais il y a peu d'hommes de liberté, bien sûr. Peu de femmes aussi. Partout, ceux qui ont un pouvoir sur d'autres êtres n'ont qu'un but : le conserver. Qu'il s'agisse de serfs, de Noirs, de pauvres ou de femmes, les droits n'ont jamais été accordés, ils ont dû s'arracher un à un. Et quand il s'agit des femmes qui peuvent cumuler tous ces handicaps, la situation devient inextricable, car les rapports passionnels qu'elles entretiennent avec les artisans, les bénéficiaires et presque les amoureux de leur oppression, viennent masquer et fausser tous les problèmes. Quand on appelle son chef « mon amour », il est difficile de présenter un cahier de revendications. Et quand on dit à sa créature « je t'aime », on croit lui avoir suffisamment rendu justice !

Puisque le syndicalisme, seule arme des faibles et seul espoir d'obtenir justice, est pratiquement impossible pour nous et rendrait odieuse la vie quotidienne de toutes les femmes qui ont du goût pour les hommes, du moins devrions-nous nous proclamer profondément et activement solidaires. Solidaires des excisées, des infibulées, des voilées, des esclavagisées, des prostituées exploitées par des souteneurs, des filles de toutes couleurs enfermées dans les bordels du monde entier, des ouvrières qui travaillent à l'usine, qui travaillent à la maison et qui travaillent à faire des enfants sans récolter un triple salaire mais seulement un triple épuisement, des dames riches aussi qui du jour au lendemain ne sont plus des dames mais des femmes, du simple fait qu'elles ont cessé de plaire. Solidaires en somme de toutes les buses abusées. Et cientes du fait que chaque femme soumise ou ilée en tant que femme même à 10 000 km d'ici soumet et mutile toutes les autres.

Car il ne faudra pas trop compter sur les hommes pour nous accorder ce que nous ne réclamons pas assez fort. Si nous continuons à sourire adorablement, à supporter vaillamment, à aimer aveuglément et à ignorer ce que leurs confrères continuent à faire tout près d'ici à nos consœurs, pourquoi les choses changeraient-elles ? Nulle part les hommes n'ont envie de toucher au rapport homme-femme, là sous prétexte de respecter les structures, ici parce qu'ils n'ont pas réglé eux-mêmes leur contentieux avec leurs propres femmes. Combien d'Occidentaux, de Latins surtout, éprouvent en secret la nostalgie d'un harem de femelles pas contrariantes, choisies pour leur jeunesse et leur beauté et renouvelées à mesure qu'elles cesseraient de paraître désirables ?

Certains pays courageux s'élèvent contre la discrimination raciale, en Rhodésie ou en Afrique du Sud par exemple. Mais personne ne souffle mot de la discrimination sexuelle. Des chefs d'Etat qui sont à domicile des êtres relativement libéraux, acceptent de siéger à l'O.N.U. aux côtés de potentats dont les femmes sont coupées, cousues ou, au mieux, réduites au silence et à l'ignorance, séquestrées, rassemblées comme des poules dans un enclos, transportées à l'étranger comme un troupeau de guenons en cage, transformées en outres pour flatter la vanité de leurs éleveurs et en truies reproductrices pour témoigner de leur virilité. Et le cas échéant ils rendent hommage sans trop rougir au « progressisme » ou à l'ardeur révolutionnaire de ces despotes.

Je comprends que le président-directeur général d'Elf Erap leur serre la main avec peut-être un clin d'œil égrillard... entre hommes, n'est-ce pas... Que le ministre des Affaires étrangères les considère comme des chefs éclairés... pétrole oblige. Mais que parmi les journalistes, les sociologues, les hommes de gauche et les femmes de toutes tendances, il ne se trouve personne pour crier au génocide spirituel, à l'abus de pouvoir, à la torture morale, que tous ces gens considèrent que l'on peut être progressiste ou seulement civilisé alors qu'on réduit à un état d'animal domestique la MOITIÉ de sa population, me paraît d'une lâcheté ou d'un aveuglement inadmissibles. Tout se passe comme si l'asservissement du sexe féminin ne relevait pas de l'oppression en général, mais représentait simplement la manière qu'a chaque peuple de mettre la femme « à sa place » dans la société.

Que Jean Daniel par exemple, homme de gauche et homme de liberté, homme de cœur sûrement, puisse écrire d'une plume sereine dans son beau livre *Le Temps qui reste :* « L'islam n'a pas empêché l'Algérie de devenir, sauf en ce qui concerne les mœurs, les femmes et la religion évidemment, l'un des pays les plus progressistes du tiers monde », me bouleverse.

Alors qui délivrera ces femmes ? Qui dénoncera cette honte ? Qui nous sauvera ?

CHAPITRE V

MA MÈRE, C'ÉTAIT UNE SAINTE !

« Supposer que la femme puisse éprouver du plaisir sexuel est une vile calomnie. »

ACTON, médecin contemporain de Freud.

J'IMAGINE les lecteurs de bonne volonté que leurs femmes auront décidés à parcourir ce livre répliquant qu'après tout en Europe elles n'ont pas à se plaindre car on n'a jamais eu recours à la chirurgie pour remodeler leurs organes.

Eh bien, qu'ils ne se rassurent pas à trop bon compte : c'est faux ! En Europe aussi des hommes auraient bien voulu neutraliser ce petit organe insolent et inutile pour le mâle, donc parfaitement répréhensible. Et eux aussi ont rêvé de chirurgie parce qu'elle constituait le moyen idéal pour extirper à la racine cet odieux plaisir féminin.

Au XVIIe, le chirurgien Dionis effectuait, toujours à la demande des maris, bien entendu, la résection du clitoris « pour faire des femmes de devoir ». Les épouses ainsi rectifiées ne risquaient effectivement plus d'être des femmes de plaisir.

Au XIXe, le chirurgien Brown fut exclu de la Société d'obstétrique de Londres pour avoir pratiqué 50 excisions afin, selon lui, de guérir l'hystérie de ses patientes.

En 1864, Broca [1], célèbre chirurgien et fondateur de l'Ecole d'anthropologie française, proposa dans un souci d'humanité de « mettre le clitoris à l'abri » en suturant les grandes lèvres devant l'organe, au lieu de l'extraire purement et simplement. Mahomet, rappelez-vous, dans un souci d'humanité lui aussi, avait conseillé de n'en enlever que la moitié... Enfin en 1900, le docteur Pouillet recommandait de cautériser au nitrate d'argent les parties sensibles des jeunes filles enclines à « se manueliser ». (Cité par Jean Markale dans *La Femme celte.*)

Bien sûr, cette pratique ne fut jamais très répandue mais on avait osé y songer. Soyons sûres que si l'esprit d'indépendance avait pu se localiser aussi facilement que l'esprit de plaisir, nous en eussions subi l'ablation... pour les motifs les plus éminents. Le bien de la famille, par exemple, eût justifié à merveille une petite intervention.

Empêchés d'utiliser le seul moyen radical, les hommes en furent réduits à inventer toutes sortes de techniques pour éviter aux femmes de pécher, c'est-à-dire de jouir du corps que Dieu leur avait donné et s'épanouir selon leur nature à elles, qui était mauvaise par définition. Et ils déployèrent dans cette recherche une imagination délirante, depuis la séparation arbitraire

1. *Rapport à la Société de chirurgie*, juin 1864.

dans la Grèce antique de la gent féminine en hétaïres vouées aux plaisirs de l'esprit, en pallaques, aux plaisirs des sens, et en « épouses » réservées au foyer et à la reproduction (diviser pour régner... on songe au *Meilleur des mondes* de Huxley...), jusqu'à la mutilation des pieds des petites filles en Chine pour les empêcher, au propre comme au figuré, de courir, en passant par les négresses à plateaux et mille autres trouvailles amusantes.

Il est assez surprenant, quand on découvre l'interminable liste de mutilations physiques ou morales qui jalonnent l'histoire de l'oppression féminine, d'entendre les psychanalystes faire de la peur de la castration chez le garçon une des bases de son comportement. Aucune race, aucun peuple, même les Arapesh, dont la société matriarcale a été décrite par Margaret Mead, aucun groupe de femmes, même les Amazones, n'a jamais envisagé de castrer les hommes. Loin de s'en prendre au pénis, les Amazones ne se sont souciées que de rectifier leur sein droit pour mieux tirer à l'arc. De même, on n'a jamais entendu parler d'une mère, si « castratrice » soit-elle, qui ait coupé le zizi de son fils, ou de femmes qui aient châtré leurs amants [1]. Pourtant, là, pas besoin de rasoir ou de tison sacré, il suffirait d'y porter la dent...

Aucun auteur féminin de littérature érotique ne s'est amusé non plus à transpercer avec des aiguilles à tricoter, à brûler avec un fer à repasser (toute femme étant d'abord une ménagère), à passer à la

1. Personnellement, j'en connais un cas parfaitement défendable : à la fin d'une folle nuit, la jeune femme s'était retrouvée ficelée sur une chaise et sommée de recevoir dans sa bouche le pénis de ses nombreux « amis ». C'était tenter le diable...

moulinette ou à râper comme une carotte ce pauvre bout de chair qui pend au-dehors, mal défendu, facile à blesser, ce joujou idéal pour sadiques. La littérature érotique féminine est le plus souvent au contraire étonnamment amicale, joyeuse et saine (Belen, Emmanuelle Arsan, etc.). En revanche, les auteurs masculins ne semblent se repaître que d'humiliations et de supplices infligés à la motte, à la fente velue, à cette « viande à foutre » qu'est pour eux la femme, au point qu'il n'existe pour désigner nos organes que des mots grossiers et insultants.

Et ce sont les hommes qui redoutent d'être castrés ! Il faut croire que nous avons une fameuse santé.

J'y vois également une deuxième raison : pour les hommes, c'est bien connu depuis saint Thomas d'Aquin jusqu'à D.H. Lawrence ou Henry Miller, la femme se réduit à ses fonctions génésiques. « Une femme, ce n'est rien d'autre qu'un récipient », affirme l'un. « Tota mulier in utero », dit l'autre plus élégamment. Quant à l'amant de *Lady Chatterley*, c'est sans façons qu'il dévoile à sa maîtresse sa vérité de femme : « Le con, c'est toi-même, comprends-tu ? C'est ce qui te rend belle, ma petite. »

Les femmes, elles, ne sont pas atteintes de cette rage d'humilier ce qu'elles aiment : pour elles, un homme ne se réduit pas à son phallus, à son zob, à sa trique, à son truc... on cherche en vain un mot insultant, tous sont revêtus d'une nuance flatteuse... Elles ont plus d'intelligence de l'autre sexe. Et si elles le haïssent, elles s'en prennent au tout plutôt qu'aux parties.

En outre, contrairement à l'opinion courante, elles sont dépourvues de cette désolante vanité que l'on

trouve à la racine de tous les comportements
mination virile. C'est par vanité que le mari veu
jeune fille vierge, une épouse chaste, une femme
trop éveillée... Son intérêt évident, son plaisir quotidien, son goût pour la nouveauté, auraient dû lui faire rechercher le contraire. Mais on règne plus facilement sur un peuple d'innocentes ou d'idiotes; et, vanité des vanités, les hommes ont fait passer leur pouvoir avant leur plaisir. Et plus ils ont préféré le pouvoir, moins ils ont trouvé de plaisir, par suite de cette loi naturelle qui veut que l'« asservissement ne dégrade pas seulement l'être qui en est victime mais celui qui en bénéficie[1] ».

« Aimer un être, c'est tout simplement reconnaître qu'il existe autant que vous. » Cette très belle définition de Simone Weil ne s'applique pratiquement jamais à l'amour d'un homme pour une femme, pour leur plus grand malheur à tous les deux.

Les buts à atteindre — la mise hors circuit de l'élément féminin — restant exactement les mêmes dans les châteaux forts du Moyen Age et sous les tentes des nomades d'Ethiopie, mais les méthodes chirurgicales ayant été écartées dans nos pays « trop sentimentaux », comme dirait Jomo Kenyatta, on eut recours chez nous à d'ingénieux bricolages. L'un des moins hypocrites fut l'invention vers le XIIe siècle d'un moyen d'excision temporaire et amovible connu sous le nom de ceinture de chasteté. On imagine mal aujourd'hui la gêne que cette preuve d'amour typiquement masculine imposait nuit et jour pendant des semaines et des mois, des années, dit-on; la saleté im-

1. Germaine Tillion, *Le Harem et les Cousins.*

possible à déloger, les plaies qui se formaient aux points de frottement. Pendant ce temps, pour les Croisés qui bouclaient ainsi leurs épouses, on entretenait en Orient treize mille dames, chiffre fourni par l'administration des Templiers, pour permettre aux combattants de conquérir le Saint-Sépulcre sans priver leur saint pénis de ses légitimes aspirations. Il va sans dire que le fructueux négoce de ces filles à soldats, esclaves légales du sexe masculin, recrutées très souvent contre leur gré ou vendues dès la puberté par leurs pères, ne leur valait que l'opprobre de la société et pour finir l'hospice ou la prison, alors qu'il enrichissait fabuleusement les tenanciers de « bordiaux », parmi lesquels on comptait de nombreux papes et évêques [1]. Saint Thomas d'Aquin ne leur apportait-il pas sa caution, en plein siècle de Saint Louis, en félicitant les moines de Perpignan d'avoir ouvert un bordel, « œuvre sainte, pie et méritoire ». Le désir de l'homme, considéré comme sacré, passait avant le salut de quelques malheureuses. Il faut savoir consentir des sacrifices humains.

Quant à la ceinture, elle était encore utilisée en 1890, un procès célèbre le prouve, et des maniaques s'ingéniaient à perfectionner l'engin : l'ouverture que l'on était bien obligé de ménager, comparable en somme à la tige de bambou des infibulées, se faisait, au XIXe, non plus en cuir (on imagine l'odeur), mais en métal inoxydable (on imagine le confort). On pouvait encore en admirer un modèle au musée de Cluny il y a quelques années [2] et l'on aurait bien dû obliger

1. Jules II, Léon X et Clément VII. L'argent n'a pas d'odeur.
2. Elle est en « réserve » aujourd'hui.

les visiteuses qui en plaisantaient au lieu de s'indigner, à la porter, une heure seulement...

On fit assez vite le tour des moyens de coercition physique. Restait la coercition morale, moins visible, mais presque aussi intéressante que la chirurgie ou l'acier inoxydable, comme l'ont démontré les travaux récents sur le conditionnement des êtres humains. Elle s'exerça par les moyens les plus divers, les lois, les mœurs, l'art, la vertu considérée comme une spécialité féminine, que vinrent relayer, au moment où quelques révolutionnaires commencèrent à vouloir libérer aussi les femmes, les théories freudiennes.

Oublions l'affreux hiver du Moyen Age où l'horizon pour les femmes s'est soudain obscurci, où la joie, les jeux et les sports ont disparu de leur univers avec la mort des traditions gréco-romaines. Oublions les centaines de milliers de sorcières brûlées au cours d'une des plus cruelles campagnes d'extermination de l'Occident, qui dura trois siècles; les dizaines de milliers de jeunes filles condamnées au couvent pour des raisons d'argent, de mœurs, de commodité familiale qui ne devaient rien à la vocation; les centaines de milliers de prostituées soumises à une réglementation féroce faite par et pour les hommes. Ne considérons que notre civilisation bourgeoise. Il ne peut échapper à personne qu'elle est régie par un arsenal de lois et d'usages qui tous s'inscrivent dans un contexte profondément misogyne.

La fille n'était pas cousue, d'accord, mais on la voulait cachetée, sa valeur marchande dépendant d'une membrane fragile. L'usage ou le non-usage de son vagin pouvait suffire à la définir mieux que sa valeur intrinsèque, à la sanctifier ou à la condamner, à l'admettre dans la bonne société ou à la rejeter. Notion révoltante et pourtant que de drames autour de ce demi-centimètre carré de peau ! Vénère-t-on vraiment la Vierge Marie en tant que vierge ? Je crains bien que oui, la Bible ne donnant pratiquement pas d'autre renseignement sur elle. On ne nous décrit que son effacement, son obéissance et ses souffrances, trois « vertus » bien féminines. Pauvre femme ! Elle méritait mieux.

Dûment cachetée, il fallait en plus à la jeune fille une dot, nécessité sacro-sainte sans laquelle encore une fois, quelle que fût sa valeur personnelle, elle devenait une laissée-pour-compte, sans espoir de mariage, c'est-à-dire de dignité. Les romans du XIXe sont pleins de ces malheureuses, pâles orphelines, bâtardes expiant la faute maternelle ou héritières ruinées, qui élèvent humblement les enfants des autres ou deviennent des servantes au grand cœur pour des salaires de misère.

Enfin quand, cachetée et dotée, elle accédait au mariage, elle devenait du même coup une mineure à vie, privée de ses biens propres et de tout droit sur la gestion familiale. En justice, pendant longtemps, le témoignage de 3 femmes ne valait pas celui de 2 hommes. Cette proportion saugrenue montre bien que les législateurs étaient des hommes avant d'être des juristes...

Il a fallu cent ans pour effacer les discriminations les plus criantes, mais qu'attend-on pour abroger celles qui restent ? « Y'a pas le feu », comme disait Jean Foyer lors d'un débat sur la contraception, résumant l'opinion des hommes sur ce sujet depuis mille ans ! C'est pourquoi la loi punissant l'adultère féminin est toujours en vigueur; la loi du 9 brumaire an IX également, qui interdit, sauf autorisation spéciale, le port du pantalon, tenue qui courrouçait tant Bonaparte, déjà empereur des misogynes avant de devenir celui de tous les Français.

On les conserve à tout hasard, ces lois, car elles peuvent servir un jour ou l'autre... il est bon que la menace subsiste. C'est grâce à celle du 9 brumaire qu'on a pu condamner récemment une femme juge qui portait la culotte dans l'enceinte sacrée des tribunaux. C'est grâce à celle de 1920, aggravée d'un décret de 1941 qui assimilait les manœuvres abortives aux *crimes contre la sûreté de l'Etat*, qu'on a pu en 1943, sous Pétain, guillotiner Mme Giraud, blanchisseuse, pour avoir pratiqué des avortements. Je dis bien : guillotinée. Aucune autre femme n'avait subi la peine suprême depuis le début du siècle. En coupant la tête de Mme Giraud, ce n'est évidemment pas la criminelle que l'on voulait tuer, sinon bien d'autres criminelles eussent mérité le même sort : c'est l'individu qui transgressait un rituel, qui délivrait une femme de sa fatalité biologique. Là réside encore aujourd'hui la faute suprême.

Ce dernier bastion du pouvoir masculin, la loi de 1920, qui maintient les femmes sous la tutelle d'un hasard que l'on préfère baptiser nature, les hommes s'y accrochent aujourd'hui avec une frénésie finalement compréhensible. La loi est inique et périmée mais ils ont tout fait pour en retarder l'abrogation et ils feront tout pour rétrécir cette liberté qu'ils nous ont « concédée » à regret. Ils savent bien en effet qu il ne s'agissait pas tant de nous obliger à avoir des enfants en ce monde déjà surpeuplé, mais bien de nous maintenir dans la contingence. Jusqu'ici, nous *attendions* un enfant, nous *étions* enceintes, ou pire, nous *étions prises*, formules totalement passives, donc satisfaisantes selon le vieux schéma. Par la contraception — et par l'avortement en cas d'échec —, il nous sera permis de *faire* un enfant, de *choisir* notre maternité, de devenir *sujet* et non *objet*. Enfanter ne sera plus une fatalité, mais deviendra un privilège. Or c'est cela que la morale traditionnelle ne saurait tolérer. Tant que la femme restait le lieu où se perpétuait aveuglément la lignée, l'égalité des sexes restait elle aussi une formule vide de sens. La maternité volontaire, c'est la liberté fondamentale qui commande toutes les autres. D'où ce refus exaspéré chez certains et presque cette terreur.

Quant au respect de la vie, argument suprême, c'est un détail pour troubler la galerie, un de ces nobles manteaux dont, à toutes les époques, on a su draper les guerres, les génocides, le colonialisme ou l'expansion industrielle. Commençons à respecter le prochain, qu'il soit Arabe immigré, handicapé délaissé par notre société ou enfant mourant au Sahel. On verra plus tard pour les fœtus.

Il y a tout de même une distorsion incroyable des valeurs à voir des députés ou les forcenés de *Laissez-les vivre* nous présenter des embryons qui n'ont guère plus de conscience qu'une larve d'insecte, alors qu'on discute très abstraitement dans les instances internationales de la faim dans le monde, sans que personne ose poser sur la tribune un vrai enfant en train de mourir de malnutrition. Le seul contenu de nos poubelles ressusciterait le Sahel. Que les courageux défenseurs de nos œufs s'en aillent au Bengla Desh. Là, les [illegible]s ont un an et ils crient.

On se souvient du jeune Bertrand Renouvin, candidat en 1974 à la présidence de la République, pérorant sur la nécessité pour les femmes de se soumettre à la nature et de mener à terme tous leurs ovules fécondés. De quel droit, sinon celui que donne le simple port d'un pénis au bas du tronc ? Pas besoin d'être un homme d'élite ou d'expérience pour nous faire la loi, il suffit d'être un mâle. Et avons-nous le droit, nous, de nous occuper de ses spermatozoïdes et de l'usage qu'il en fait ? Ces jeunes mecs vaccinés, psychanalysés, opérés de l'appendicite ou chimiquement tranquillisés et qui nous recommandent la résignation aux lois naturelles, quelle bouffonnerie ! Je souhaitais à l'époque envoyer à Bertrand Renouvin un joli renard du Jura pour Noël... Ils avaient la rage en 1974. C'était l'occasion pour lui de se soumettre à son tour aux lois naturelles...

Enfin, en marge des lois et non moins pesantes, il reste toutes ces menues brimades dont l'accumulation met la femme dans un état de perpétuelle dépendance et dont chacune a pu faire cent fois l'irritante expérience. Je me demande comment eût réagi Françoise Giroud, secrétaire d'Etat à la condition féminine, si sa condition féminine précisément l'avait empêchée par exemple de pénétrer dans la salle des délibérations de la mairie d'Ajaccio ? C'est pourtant ce qui arriva à Claude Pompidou, alors présidente de la République, qui accompagnait son mari en visite officielle dans l'île de Beauté au mois d'août 1969. On lui fit savoir que ces hauts lieux étaient interdits aux femelles de l'espèce humaine. La première dame de France ne valait pas le dernier homme. Il est vrai que cela se passait dans le Bassin méditerranéen où l'avilissement de la condition féminine est tenace et généralisé.

Il faudrait citer aussi toutes ces « petites phrases » qui perpétuent à la radio, dans la presse, à la télévision, dans la publicité, l'image de l'adorable créature, de la sainte chérie.

« J'ai trouvé la poupée de Michel Piccoli un peu bête et bien paresseuse... Elle ne met pas le couvert, elle ne fait ni le lit ni la cuisine... elle ne récite pas de poésies d'Alfred de Musset... Il me faut à moi des babillages, des propos oiseux, des cancans et, pourquoi pas, des scènes. Je ne déteste pas qu'on m'arrache les yeux de temps en temps. C'est que j'aime la femme sans doute. » (J. Dutourd, dans *Match.*)

Eh oui ! Nous voilà donc telles qu'on nous aime ! Bavardes, futiles, bécasses et fofolles mais faisant le lit et le ménage, et aussi des scènes de jalousie car bien sûr c'est Monsieur qui nous trompe... Comme dit la chanson : « Un éléphant, ça trompe, ça trompe... »

Parlant de *Défense de savoir*, un film de Nadine Trintignant, un critique, un homme faut-il le préciser, prononçait cette autre petite phrase typique de l'action psychologique :

« L'ensemble est honorable. Jamais féminin en tout cas. C'est déjà beaucoup. »

Décrivant Jacqueline Baudrier dans *Hommes libres*, Arthur Conte écrit : « J'admire toujours avec quelle autorité cette femme, que *tout devait exclusivement vouer à la tendresse* (?!), sait maîtriser l'univers d'hommes difficiles qui lui a été confié. (...) Elle le fait avec le panache d'un monsieur. » Et il ne peut s'empêcher d'ajouter : « Il y a vraiment de cette voracité chez elle : *mère abusive.* »

Tout y est. Même méthode pour décrire Marie-

France Garaud : « On s'étonne que cette *fée du logis*, qui doit enchanter sa propre demeure, soit l'être qui, avec Raymond Marcellin, connaisse le mieux le fichier politique français. »

Ce ne sont pas des injures. C'est pire : ce sont des hommages ! On se refuse à parler de nous normalement, sans références à nos fonctions ménagères.

Evoquant enfin le coup d'éclat de Françoise Giroud à *Lettres ouvertes*, en octobre 1974, déclarant à la fin de l'émission qu'elle la trouvait franchement mauvaise, M. Michel Bassi a qualifié cette réaction de « typiquement féminine ». Mais, ajoutait-il en homme galant, « elle devait être très fatiguée, le matin même elle était en conseil des ministres ».

C'est aussi ce militant gauchiste criant à des jeunes filles qui voulaient prendre la parole dans une réunion politique : « Du calme, les cuisinières ! »

C'est enfin la fureur sacrée qui anime encore certains journaux, presque toujours de droite, contre cette version moderne des suffragettes qu'est le M.L.F. Oubliant que les revendications de ces « forcenées », qui suscitèrent tant d'indignation hier, nous paraissent tout à fait légitimes aujourd'hui, des journalistes continuent à distiller les mêmes attaques fielleuses : je viens de lire, dans un hebdomadaire que je ne veux même pas nommer, un article, signé Irina Kolomjar, qui aurait pu être écrit par les pires réactionnaires de 1795 :

« Elles étaient là deux ou trois cents peut-être qui caquetaient à qui mieux mieux dans la vaste salle... mères en lutte dans leur cuisine, filles en lutte sur le front du sexe..., pouffiasses intellectuelles, gouines débiles et militantes du M.L.F. Les heures une à une dégoulinaient le long des cheveux sales et des corps flasques de ces pasionarias qui transpirent le malaise et la haine inconditionnelle de la vie sous toutes ses formes ou presque... On décide de manifester devant l'ambassade d'Espagne, on fera un meeting et on ira montrer ses fesses çà et là dans Paris. L'hystérie après onze heures du soir est à son comble. L'hystérie, la sottise et une médiocrité sur laquelle il serait finalement indécent de s'étendre davantage. Les guérilleros en jupon ont beau porter le pantalon, le jupon dépasse. »

Le jupon, vous l'avez deviné, c'est l'hystérie, la sottise et la médiocrité. Les thèmes habituels sont au complet : le caquetage, la laideur, les intellectuelles qui sont toujours des putains, et l'accusation d'hystérie, cette maladie bidon qui a servi à classer comme malades toutes les femmes qui supportaient mal leur condition. Pauvre Irina Kolomjar ! Encore une harki. Les pires, car elles se croient obligées de faire du zèle pour qu'on oublie... leur jupon.

On pourrait écrire une *Encyclopédie de la femme* avec toutes ces petites remarques dites sur le ton de l'évidence, parfois avec haine, parfois avec une ironie débonnaire, car ils nous aiment tous, ces misogynes qui le sont si souvent sans le savoir.

On aurait tort de penser que ces détails sont sans importance : ils servent très efficacement à entretenir un climat, une mentalité. « Il n'y a pas de petites revendications », disait Lénine. Il n'y a pas non plus de petites brimades.

Cette énumération a pu paraître assommante, je le sais. On voudrait bien que tous ces faits soient le fruit du hasard et qu'ils ne signifient rien. On voudrait bien que les féministes (et les hommes qui les ont soutenues) aient été atteintes du délire de la persécution : des folles, des malades, des enquiquineuses. Mais le portrait-robot de la suffragette qui a servi d'épouvantail pendant cent ans est bon à mettre au cabinet. Il faut être Dutourd, Lartéguy ou Jean Cau ou le bon docteur Soubiran pour ne pas s'apercevoir que beaucoup de femmes aussi différentes que des universitaires, des ouvrières, des bourgeoises ou des militantes, et qui ne sont pas obligatoirement hideuses, poilues ou stériles, mènent ensemble un combat généreux. Il faut s'aveugler volontairement pour ne pas reconnaître qu'une revendication qui devient aussi universelle manifeste une insatisfaction pathétique et un besoin de justice désespéré.

Pour ne citer qu'un exemple, « l'extraordinaire histoire de l'émancipation des femmes japonaises, passant d'un statut féodal particulièrement contraignant à une vie épanouie de femme du XXe siècle », a été en grande partie le fait des journaux féministes du Japon dont le premier dut son existence à « une campagne menée vers 1920 afin d'obtenir pour les jeunes filles le droit de refuser un mari syphilitique [1]».

Quel homme n'aurait honte aujourd'hui de voir que les femmes ont dû se battre pour échapper à un sort aussi scandaleux ? Aucun, car ils préfèrent l'ignorer. « Comment ? Mais je ne le savais pas ! » plaident-ils, sincèrement apitoyés. Tout cela est pourtant connu, catalogué, écrit dans des livres et des articles rédigés ou traduits en français... Mais ça les ennuie de savoir.

1. Cf. *La Presse féminine* d'Evelyne Sullerot, collection Kiosque d'A. Colin.

Et c'est pourquoi cette lutte des femmes se poursuit interminablement, sous d'autres aspects bien sûr, mais rencontrant toujours les mêmes obstacles et la même indignation hypocrite. En France, quand les mœurs sont en avance, ce sont les lois qui résistent. Et quand les lois précèdent les mœurs, elles ne sont tout simplement pas appliquées ! Deux siècles après la Déclaration des droits de l'homme, il faut encore lutter pour qu'elle s'applique à l'espèce humaine tout entière. C'est en partie, il faut bien le reconnaître, parce que Freud a fait perdre cent ans à la cause des femmes.

Le XIXe leur avait apporté beaucoup d'espoir, après l'échec de la Révolution française et la reprise en main par l'Empire. Elles publiaient des journaux politiques faits par et pour les femmes, organisaient des congrès, créaient en 1889 une Fédération internationale pour la revendication de leurs droits, à laquelle adhérèrent onze pays d'Europe plus l'Amérique. Elles ne réclamaient même pas le droit de vote, qui paraissait encore une exigence exorbitante, mais seulement la révision du code, le droit au divorce (accordé par la Convention et supprimé par Napoléon), des salaires égaux et... la démolition de la prison Saint-Lazare où échouaient la plupart des filles de joie condamnées à expier le plaisir que les hommes avaient tiré d'elles, des hommes qui n'avaient même pas la reconnaissance du ventre.

Ces modestes efforts d'émancipation suffisaient à exaspérer la société bourgeoise, qui allait rencontrer un allié inattendu en la personne de Freud. Ses géniales découvertes sur l'inconscient et la symbolique sexuelle s'accompagnèrent en effet d'une vision parfaitement traditionnelle et réactionnaire de la femme qui combla les vœux de la société viennoise décadente qu'il soignait.

« Merci, mon Dieu, de m'avoir fait naître homme », dit la prière quotidienne des juifs. Puritain de nature et judaïque de formation, Freud est toujours resté profondément convaincu que l'homme est le modèle idéal de l'humanité et qu'il n'existe qu'un seul organe sexuel valable : le phallus. En conséquence, il a pensé toute la psychanalyse au masculin, du complexe d'Œdipe au complexe de castration. Anna Freud, évoquant son enfance et l'admiration exclusive que la famille vouait à Sigmund, le fils aîné, raconte comment le piano pour lequel sa sœur et elle se passionnaient fut supprimé parce qu'il aurait pu gêner le garçon dans ses études. « L'instrument ayant disparu, tout espoir pour ses sœurs de devenir musiciennes était anéanti. » De petites remarques comme celle-là s'entrouvrent sur des abîmes d'injustice.

« Pour comprendre Freud, chaussez des testicules en guise de lunettes », disait un surréaliste à André Breton. Comment chausser les testicules qu'on ne possède pas ? Tout le drame de la femme est là : Freud la regarde du haut de ses testicules, elle n'est pour lui qu'un homme castré et qui en a la douloureuse conscience. Même la maternité n'est pas un phénomène original, mais seulement un ersatz du pénis tant désiré. La femme se fait encore battre à son propre jeu, et l'enfantement, impressionnant privilège féminin, est lui aussi récupéré par le mâle.

Quant au besoin d'activité ressenti par certaines femmes, il n'est qu'un complexe de virilité, qu'une névrose destinée à compenser la « tragédie d'être née femme ». Il ne fait pas de doute aux yeux de Freud que lorsqu'une petite fille découvre son sexe, ou plutôt son absence de sexe, c'est pour elle une « catastrophe si terrible » qu'elle la hantera toute sa vie. C'est le désespoir de se découvrir défectueuse qui déterminera les deux aspects fondamentaux de son caractère : la jalousie et la pudeur, qui n'a d'autre but que de dissimuler son « insuffisance génitale ». (Parler d'insuffisance génitale à propos d'un être qui possède deux organes de plaisir sexuel, plus un appareil reproducteur, me paraît, soit dit en passant, d'une suffisance...)

Ici, deux explications étaient possibles : celle d'une infériorité historique et sociale de la femme, donc curable; et celle d'une infériorité congénitale, donc sans appel. C'est la seconde que Freud a choisie. La petite fille vient au monde « mal équipée », il ne lui reste qu'à s'y résigner. Sa féminité, c'est une non-masculinité !

« Freud est le père de la psychanalyse mais elle n'a pas eu de mère », comme l'a très justement fait remarquer Germaine Greer. Et Mélanie Klein, dans sa critique des théories de son maître, s'étonne d'une hypothèse qui postule qu' « une moitié de l'humanité aurait des raisons biologiques de se sentir désavantagée parce qu'elle n'a pas ce que l'autre moitié possède, sans que la réciproque soit vraie »!

Cette réciproque, justement, Evelyne Sullerot s'est amusée à la mettre sous la plume d'une psychanalyste imaginaire, aussi gynocentriste que Freud était androcentriste : « Elle aurait fait remarquer que le petit garçon, extrêmement jeune, apprend confusément qu'il n'aura pas d'enfants. Ce sont les femmes qui ont les bébés. Lui ne sert à rien. Il compensera alors par l'activité, l'agressivité, la volonté de puissance, ce tourment d'être incomplet par rapport à la nature mère... » En poursuivant sur le thème du traumatisme de la non-maternité (et n'est-il pas plus vraisemblable que le traumatisme du non-pénis), on pourrait conclure, dit Evelyne Sullerot, « que toute l'activité masculine n'est qu'une énorme névrose collective ».

Cela tient debout et vous a une allure assez évidente. Hélas ! c'est l'inverse qui fut enseigné aux psychanalystes et le succès fut d'autant plus vif que les théories freudiennes tombaient à pic pour rassurer une société inquiète des progrès féministes et qui cherchait l'occasion et des arguments pour reprendre l'offensive.

Pourtant, sur la fin de sa vie, Freud ressentit des doutes sur sa connaissance des femmes et de leur sexualité qu'il qualifiait de « continent noir ». Il avouait à Marie Bonaparte que l'équation virilité-activité et féminité-passivité n'avait plus de sens à ses yeux. Il écrivait à Jung : « Vous me prédisez qu'après moi mes erreurs risquent d'être adorées comme de saintes reliques... Au contraire, je crois que mes successeurs se hâteront de démolir tout ce qui n'est pas parfaitement étayé dans ce que je laisse derrière moi. »

Malheureusement, comme le craignait Jung, les disciples de Freud oublièrent ses doutes et ses aveux pour révérer ses hypothèses et ils se mirent à critiquer et à psychanalyser celles qui n'acceptaient pas le « rôle féminin normal, c'est-à-dire soumission, résignation et masochisme ». Parlant d'une de ses patientes, célibataire d'âge mûr, « qui s'était plongée dans un tourbillon d'activités afin de développer ses talents qui n'étaient pas minces », Freud donnait candidement à ses élèves cet exemple atroce : « Quand elle eut compris qu'il n'y avait pas de place pour les femmes dans le monde extérieur, elle commença à manifester des troubles divers dont l'analyse lui démontra l'origine et ce ne fut qu'après s'être résignée à une totale inaction qu'elle en eut fini avec tout cela. »

La passivité vaginale représentant la seule bonne libido, il fallait s'attendre à ce que le malheureux clitoris, considéré non comme un organe original, mais comme un phallus raté, fût encore une fois condamné. Dans le but d'interdire à la femme toute indépendance sexuelle, on en arrivait à ce raisonnement tordu qu'un organe spécifiquement féminin était qualifié de non féminin ! (Toujours les Bambaras !)

On crut donc indispensable, Hélène Deutsch et Marie Bonaparte en tête, de « guérir les clitoridiennes ». On disait alors clitoridienne comme on dit diabétique et l'on employait le terme de nymphomane pour qualifier toute femme qui manifestait du goût pour le plaisir sexuel. L'essentiel n'étant pas d'atteindre au plaisir, peu souhaitable, mais de se soumettre passivement au désir masculin. Le résultat de cette excision psychique ? Exactement le même que pour l'autre : la démolition de la sexualité féminine. On l'a souvent confondue avec la vertu.

Des générations d'épouses frigidifiées, négligeant ce qu'elles ressentaient pour croire ce qu'on leur disait, se réjouirent de n'éprouver aucun plaisir et étouffèrent chez leurs filles toute ébauche de sensualité, tout en créant chez leurs fils de dangereux phantasmes concernant la pureté maternelle qui assureraient plus tard le malheur de leurs jeunes épouses, qui se réjouiraient à leur tour de ne ressentir aucun plaisir et qui étoufferaient chez leurs filles... et ainsi de suite.

D'un acte instinctif et naturel que Dieu avait voulu plaisant (sauf pour sa pauvre mère, la Vierge Marie... à croire que Dieu lui-même avait été élevé par une mère freudienne), on avait réussi à faire le plus sinistre fleuron du mariage bourgeois : le devoir conjugal.

Pour achever de dégoûter les épouses vertueuses et pour enlever toute chance de plaisir aux épouses vicieuses, les directeurs de conscience assimilaient tout simplement le désir amoureux à la défécation. Il faut lire dans *Le Manuel secret des confesseurs*, réédité en 1968 par J. Martineau, ces conseils inimaginables.

« Considérez, ma très chère sœur, qu'un mari qui chérit sa femme ne peut garder la continence. Vous êtes tenue, sous peine de très grave péché, de lui ouvrir vos bras et de donner satisfaction à ses sens... Si, par exemple, vous vous trouviez prise d'un gros besoin et si, ayant exprimé à votre mari le désir de satisfaire aux nécessités de la nature, celui-ci vous engageait à remettre la chose au lendemain, vous vous diriez assurément que votre mari est un imprudent ou un imbécile et vous iriez déposer votre « merde » dans un lieu quelconque. La situation dans laquelle se trouve votre mari est tout à fait semblable. Si vous refusez de le recevoir, il ira répandre son sperme dans un autre vase que le vôtre et vous porterez le péché de son incontinence. »

Et d'une pierre trois coups : péché de se refuser à l'incontinence du mari, péché d'y trouver plaisir, la volupté étant, selon saint Jérôme, « le crime à ranger immédiatement après l'homicide », et péché encore si le mari, insatisfait, allait faire ses besoins dans un autre vase ! le chemin de la femme vertueuse était étroit.

Comme la France est la fille aînée de l'Eglise on a pu dire que l'Amérique était la fille aînée de Freud. Car c'est aux Etats-Unis que la théorie freudienne transformée en mystique trouva son terrain d'élection, dans cette société puritaine des années trente, troublée par un ou deux siècles d'une histoire profondément originale où les femmes s'étaient battues aux côtés des pionniers pour construire avec eux le Nouveau Monde. Elles avaient forcé leur estime, pris des habitudes d'indépendance et conquis l'égalité des droits. Et voilà que la paix venue, à partir de 1945 surtout, elles se voyaient renvoyées à leur foyer au nom d'une morale nouvelle qui ressuscitait tout simplement le vieux rôle féminin prôné par Freud. Phénomène pathétique qu'a décrit Betty Friedan dans *La Femme mystifiée*.

« La mystique de la vraie femme élevée au rang de religion scientifique fut la première pierre du mur protecteur qui allait rétrécir et borner l'avenir de la femme. Des jeunes filles qui avaient appris à l'université à jouer au base-ball, à s'initier à la géométrie, qui étaient de devenues assez indépendantes et qualifiées pour prendre une part active aux préoccupations de l'ère atomique, s'entendirent conseiller par les plus grands esprits de notre temps de rentrer au foyer pour y mener la vie d'une Nora, réduite aux dimensions de la *Maison de poupée* de l'ère victorienne. »

Pourquoi le mouvement féministe américain, animé de tant d'énergie, tourna-t-il court soudain ? Deux phénomènes peuvent expliquer ce coup de frein. D'abord l'incurable besoin masculin de suprématie qu'avaient masqué les temps héroïques de la naissance de la nation, où l'on avait besoin de tous les bras et d'autres chats à fouetter que ceux des femmes. Ensuite et surtout, un fait qu'analyse magistralement Betty Friedan : le monde des affaires étant devenu la force la plus puissante des Etats-Unis et 75 p. 100 du pouvoir d'achat étant détenu par les femmes, il importait dans l'intérêt du pays, donc de chacun, de développer chez elles le goût et les moyens d'acheter toujours plus. Toutes ces grandes sociétés, toutes ces industries, que la fin de la guerre privait de leurs sources de revenus, se trouvèrent dans l'obligation impérieuse de créer de nouveaux besoins, donc une nouvelle mentalité. Bien sûr, il n'y eut pas à proprement parler de conspiration économique contre les femmes. Personne n'eut le cynisme de reconnaître que le rôle primordial que jouait l'épouse au foyer consistait à acheter de plus en plus d'articles ménagers, d'objets, de vêtements, de jouets pour ses enfants et que sa disponibilité pouvait se calculer en dollars. Soyons sûrs, d'ailleurs, que ce calcul fut effectué avec une grande précision... mais on préféra s'abriter derrière de plus nobles motifs et remettre en honneur le mythe de la vraie femme qui allait trouver là une admirable occasion de reprendre du service.

On persuada peu à peu les jeunes filles de canaliser leurs énergies, leurs aspirations, leur culture vers le métier de maîtresse de maison, but de toute femme « normalement constituée ». Le terme de *career woman* devint une injure. On affirma que ces femmes-là devenaient agressives, masculines et frigides, vieux arguments qui avaient déjà fait leurs preuves dans d'autres pays... Il est clair que la femme médecin, chimiste ou secrétaire de direction n'était pas passionnée par la sortie d'une nouvelle lessive ! On déconseilla donc aux femmes de devenir médecins, chimistes ou secrétaires de direction. Les nombreuses et coûteuses enquêtes menées par les agences de marketing mettaient l'accent sur la nécessité de valoriser le rôle de la ménagère en faisant d'elle « non une simple manœuvre mais un spécialiste hautement qualifié ». La meilleure façon d'y parvenir, concluait une étude de marché en 1950, c'est de « sortir sans cesse de nouveaux produits qui sollicitent les facultés intellectuelles des ménagères en les faisant participer aux découvertes scientifiques du moment ».

Méthode qui laisse pantois ! Mais elle porta sans doute les fruits attendus puisqu'elle a franchi l'Océan. Je doute cependant que les Françaises éprouvent le sentiment de participer à la recherche scientifique quand elles achètent le nouveau détergent thermocalcaire ou la crème gériatrique. Elles ont toujours eu moins de sens civique que les Américaines...

Ce lavage de cerveau qui s'est étendu sur une trentaine d'années s'est effectué avec l'appui de philosophes, de sociologues, d'éducateurs, de rédacteurs de magazines à grand tirage et de conseillers d'agences de publicité dont beaucoup étaient de bonne foi et dont un certain nombre, décroissant d'ailleurs avec les années et la réussite même de leur action, étaient des femmes. Les résultats furent donc remarquables : en 1955, quatorze millions d'Américaines étaient déjà fiancées à dix-sept ans. Alors qu'on comptait 47 p. 100 de jeunes filles dans les universités en 1920 (très en avance sur les chiffres européens), il n'y en avait plus que 35 p. 100 en 1958 et les trois quarts d'entre elles abandonnaient leurs études soit pour se marier soit

parce qu'elles craignaient que trop de connaissances les empêchent de trouver un mari. La natalité enregistrait un bond spectaculaire, chaque mère élevant en moyenne cinq enfants, deux fois plus que la moyenne européenne; et vingt et un millions de femmes seules, célibataires, veuves ou divorcées, ne se consacraient plus qu'à une activité unique : une frénétique chasse à l'homme.

La pensée freudienne stipulant qu'il n'existait pas de destin plus noble que celui d'épouse ou de mère, la presse féminine et la télévision se mirent à évoquer à longueur de colonnes et d'émissions ces « femmes détraquées et trop viriles qui prétendaient devenir poètes, physiciennes ou cadres d'administration. La vraie femme n'avait pas besoin de faire des études supérieures ou de voter... En un mot elle n'avait pas besoin de cette émancipation et de ces droits pour lesquels les féministes d'un autre âge s'étaient battues ».

Vers les années 50, les tenants de la mystique féminine estimèrent avoir réussi. Même les étudiantes les plus douées ne manifestaient plus d'autre aspiration que de devenir des ménagères et des mères de famille. Plus d'ambition, plus de grands projets, plus de passion en dehors du désir effréné de ne plus être que Mrs. Jack X, Mrs. John Y, la mère de Nancy ou de Ted. Une des plus grandes universités féminines se vantait de ne plus fournir des M. D. (docteurs en médecine) ou des Ph. D. (docteurs en philosophie), mais des W.A.M. (wives and mothers). Le slogan fit fureur. Mrs. Lynn White, directrice de l'université Mills, remplaça les cours de chimie par des cours de cuisine : « Serait-il impossible de présenter les cours de diététique de manière à les rendre aussi exaltants et complexes dans leur application qu'un cours de philosophie post-kantienne ? » écrit cette dame dans *Eduquons nos filles.* « Ne parlons plus de protéines, d'hydrates de carbone ou autres composants chimiques sinon pour montrer par exemple que les choux de Bruxelles très cuits à l'anglaise ne sont pas seulement inférieurs en saveur et en consistance mais aussi en teneur vitaminée. »

Jamais on n'avait été plus loin dans le conditionnement scientifique d'une catégorie d'êtres humains à une fonction déterminée par l'autre.

Une des bibles américaines, le manuel de Lundberg et Farnham *(La Femme moderne, le Sexe perdu)*, mettait clairement les choses au point : « Dans l'intérêt public, les fantaisies désordonnées de la femme qui souffre d'un complexe de masculinité et qui veut faire carrière, doivent être combattues. Quant aux célibataires de plus de trente ans — à moins d'une carence physiologique reconnue — elles doivent être encouragées à se faire psychanalyser. »

Le nombre impressionnant de cabinets de psychanalyse qui s'ouvrirent pendant ces années-là aurait dû inquiéter l'opinion. Mais avec cette monstrueuse bonne volonté des Américaines, les mères continuèrent avec acharnement à modeler leurs petites filles selon le schéma indiqué et à leur imposer comme une prothèse un rôle féminin qui les polarisait uniquement sur la recherche des faveurs masculines. Le physique devint une obsession entretenue à l'école par une concurrence effrénée, minutieusement orchestrée... Concours de teint, de nez, de sex-appeal, d'assurance, de « bonne personnalité » jalonnaient l'année scolaire et les réussites étaient notées au même titre qu'un devoir de maths ou de littérature. Aucun pays n'a compté autant de reines; reine du Gaz, de l'Essence, du Charbon, du Maïs, des Artichauts, de la Quincaillerie, du Camping, du Papier [1]. Une réussite à éviter : le succès scolaire. Les bonnes élèves n'étaient que *second best*, car les dons intellectuels représentent pour les filles un handicap. Margaret Mead dans ses *Mémoires* a raconté l'ostracisme dont elle fut victime parce qu'elle entrait à l'université pour y travailler sérieusement l'ethnologie.

L'institution féminine la plus célèbre outre-Atlantique, celle des Majorettes — qui ont fait en France une apparition réconfortante de maladresse —, marque le triomphe de cette hyperféminité artificielle, basée sur une stricte discipline et de dures études dans des écoles spécialisées *(sic)* où elles apprennent leur métier d'objets sexuels désexualisés.

Pendant une quinzaine d'années encore, le système sembla fonctionner et rien ne transparut au-dehors. L'image type de la femme américaine d'après-guerre, belle, saine, suffisamment cultivée, habitant une confortable maison de banlieue résidentielle, bien défendue par les lois et libérée des plus ennuyeuses corvées domestiques par le meilleur équipement ménager du monde, représentait une réussite enviable pour bien des femmes. Quand on découvrit dans quelle douloureuse insatisfaction avaient sombré toutes ces « petites fiancées » qui s'étaient si docilement coulées dans le moule freudien, « adorables choses dans leur jeunesse, épouses respectées dans l'âge mûr », quand on s'aperçut que c'était la réussite même de ce type

1. Ingrid Carlander, *Les Américaines,* Grasset 1973.

de famille qui précipitait sur les divans des psychanalystes tant de millions d'hommes et de femmes, quand l'épouse américaine fut devenue le prototype de la maîtresse castratrice et de la « Mom » abusive, quand à l'origine de tous les cas d'enfants caractériels, dans tous les dossiers d'adultes névrosés, psychopathes, alcooliques, homosexuels ou impuissants, on eut retrouvé une femme ou une mère frigide, aigrie ou exigeante, c'est-à-dire toujours malheureuse, quand enfin la haine se mit à suinter de tant d'écrits masculins, l'Amérique commença à douter de sa recette de bonheur. Il fallut alors se poser la question fondamentale : la « vraie femme » représentait-elle, comme on l'avait affirmé, la vérité de la nature féminine ? Quelque chose devait clocher quelque part.

Au début, ces insatisfactions parurent incompréhensibles, voire répréhensibles. Les femmes américaines ne possédaient-elles pas tout ce qu'une femme peut désirer ? Alors un déluge de conseils, de trucs, de propositions déferla sur ces épouses qui se sentaient prises au piège : 58 manières de stimuler votre vie conjugale... Fermons les universités aux jeunes filles, le chemin qui va des mathématiques au réfrigérateur, de Sophocle à Spock est trop malaisé... On alla même jusqu'à préconiser un épanouissement sexuel plus varié... l'ampleur du malaise appelait des solutions osées. On prôna les échanges de partenaires, les amours de groupe. Car pour ces femmes séquestrées dans la féminité, seul le domaine sexuel restait accessible. D'où cette fringale des femmes américaines si souvent évoquée et dont la contrepartie fut cet ennui sexuel chez tant d'hommes américains, qui s'est peu à peu mué en hostilité ou en fuite.

Mais pas plus que la cuisine ou l'éducation des enfants, le sexe ne parvenait à tenir lieu de personnalité. Considérer l'homme comme un fournisseur d'orgasmes n'aboutissait qu'à transformer la sexualité elle aussi en une déprimante activité ménagère.

Il fallait aller plus loin car tout le mythe de la féminité semblait bâti sur une idée fausse. Mais il faudra attendre Karen Horney et Clara Thompson en psychanalyse, Hélène Michel-Wolfromm en gynécologie psychosomatique et Masters et Johnson pour les mœurs, pour que les femmes commencent à sortir de cette impasse. Avec Maslow, Rogers, Bettelheim, Tillich et bien d'autres, ils proposèrent une nouvelle conception de l'être humain « normal », mettant l'accent sur cette aspiration qui n'est pas liée à un sexe en particulier, mais au tréfonds de l'être : s'accomplir...

« Les facultés, écrivait Maslow, exigent de servir et ne cessent d'exiger que lorsqu'elles ont été largement employées. »

On émit l'hypothèse que cette idée valait pour tous les hommes, y compris les femmes. Celle qui attend un homme pour commencer à vivre et la maternité pour trouver un sens à son existence, celle à qui l'on a dénié tout autre besoin que l'amour ou la satisfaction sexuelle, qui ne se projette jamais à l'extérieur, au nom de sa féminité, celle-là risque de perdre le sens de son identité et de sombrer dans la résignation ou le ressentiment « qui exploseront un jour, car l'histoire ne cesse de proclamer que tôt ou tard le besoin de liberté de l'homme doit déboucher au grand jour [1] ».

1. May, *L'Existence — Une nouvelle dimension en psychiatrie et en psychologie.*

« La vie non vécue, avait écrit Jung d'une manière prémonitoire pour ces femmes-là, est une puissance irrésistible de destruction qui agit en silence mais sans pitié ! »

L'évolution des esprits fut particulièrement frappante dans le célèbre *Rapport Kinsey* qui marqua le grand tournant dans la connaissance de la femme.

Le premier *Rapport Kinsey* établissait que la frustration sexuelle des femmes était en relation directe avec leur niveau d'instruction. Plus on poursuivait d'études, moins on jouissait. C'étaient les « femmes noires analphabètes qui atteignaient l'orgasme presque à 100 p. 100 ». On retrouve là la vieille théorie des animistes Balubas, des chrétiens misogynes, des bourgeois égoïstes, des disciples de Freud, disons pour simplifier la vieille théorie masculine qui avait si longtemps servi à faire peur aux femmes.

Dix ans plus tard, tout est changé, sans doute sous l'influence des mouvements féministes, sous celle des psychologues qui commençaient à se dégager de l'évangile freudien et de tous ces livres de femmes qui osaient enfin crier leur vérité. Le deuxième *Rapport Kinsey* contredit totalement les conclusions du premier : « Nous nous sommes aperçus que chez les femmes qui atteignaient l'orgasme dans les cinq premières années, celles qui avaient une instruction supérieure étaient de loin les plus nombreuses... A partir d'éléments incomplets, nous avions conclu que les femmes peu instruites accédaient en général très facilement au plaisir. Ces conclusions doivent maintenant être rectifiées. »

Autre découverte scandaleuse et tout à fait contraire au dogme : Plus le caractère dominateur de la femme est accentué, plus ses talents et ses facultés ont trouvé à s'employer, et plus elle est à même d'apprécier les rapports sexuels, mieux elle peut s'abandonner à l'amour, moins elle se montre égocentrique et narcissique.

En somme, plus la femme s'élève et plus les rapports sexuels s'enrichissent et deviennent des rapports humains. Le professeur Maslow allait plus loin encore : « Les plaisirs sexuels offrent le maximum d'intensité et de profondeur chez les gens qui se réalisent, et cependant le sexe et même l'amour ne sont pas la principale motivation de ces existences-là. »

Finalement, la frigidité ou les problèmes sexuels des femmes n'étaient qu'un sous-produit de la méconnaissance d'un besoin aussi fondamental que l'amour : le besoin de s'accomplir. Quelle stupéfaction d'entendre ce langage pour des femmes que l'on avait encouragées à tout miser sur le foyer et l'amour ! Quel soulagement d'apprendre qu'il n'était plus nécessaire d'être idiote pour être heureuse et pour rendre un homme heureux; que l'intelligence était une qualité, même en amour; que l'épanouissement personnel n'était pas un obstacle, au contraire, à l'épanouissement sexuel. Cette vérité toute neuve et pourtant vieille comme le monde, c'était enfin la lumière au bout du tunnel qui marquait peut-être l'aube de la dernière étape dans la longue marche des femmes américaines pour conquérir, avec le plus entêté des optimismes, l'optimisme américain, cet autre produit typiquement américain : le bonheur garanti sur facture.

En face de cette implacable organisation, les choses en France semblaient se passer en douceur, dans un plaisant désordre. Pas d'univers parallèles, pas de domaines réservés, ou si gentiment, simplement le carcan de lois révoltantes mais peu ou mal appliquées, et le poids d'une galanterie bien latine, d'un déluge de petites attentions, de compliments dérisoires, d'indulgence ravie devant nos faiblesses, qui servaient à masquer le fait que partout nous étions coincées : hors du mariage, les femmes sont mal défendues, on le sait. Mais dans le mariage, élever des enfants ne constitue pas non plus une profession reconnue puisqu'une mère de famille, même nombreuse, n'a droit en tant que telle ni à la Sécurité sociale, ni à une retraite de travailleur. Par ailleurs, les maîtresses femmes ou les insoumises sont peu appréciées. Le seul emploi public bien toléré est celui de muses. Au point que pour éviter de rendre hommage à leur originalité ou à leur indépendance d'esprit, un récent numéro spécial du *Crapouillot* (100 000 exemplaires) sur les femmes célèbres du XXe siècle s'intitulait précisément *Les Egéries* et mettait dans le même sac Magda Fontanges et Simone de Beauvoir, Louise Weiss et Arlette Stavisky, Elsa Triolet et la vicomtesse de Ribes !

Louise Weiss est un « bas-bleu en mal de voyage, bâtie en force, la poitrine agressive, le verbe insolent, une vraie sans-culotte... », jugement délirant pour qui connaît un tant soit peu la vie édifiante et l'œuvre d'une des premières agrégées de France. Mais a-t-on le droit d'être agrégée quand on mesure 95 de tour de poitrine ? Il semble que ce soit toujours un handicap.

De Jacqueline Thome-Patenôtre, député maire, tout ce qu'on trouve à dire c'est qu'elle est jolie, mais que ses jambes, en revanche... « Les jambes ? Ça s'écarte » aurait répondu Moro-Giafferi. Exit Jacqueline et ses trente ans de carrière.

Quant à la « Grande Sartreuse », comme de coutume on s'acharne sur elle avec une délectation vicieuse : le célèbre Paul Champsanglard (!) qui intitule son étude *Une vendeuse de magasin sans humour*, se contente des ragots d'un amant indélicat (Nelson Algren) pour juger « Madame Blabla » sur le seul plan de ses performances sexuelles, présumées lamentables.

Mme Steinheil, elle, fut atteinte d'une « boulimie utérine aiguë »; Geneviève Tabouis aurait pu être charmante « si elle ne se fût déversée dans la politique », et Françoise Giroud n'a d'autre existence que celle des hommes qu'elle a connus : « On la retrouve dans l'entourage de Mendès, dans le voisinage de Mitterrand, dans les papiers de Mauriac, derrière la caméra de Jean Renoir, en avion avec Saint-Exupéry et dans la bibliothèque d'André Gide. Elle se définit en conclusion comme le Chou En-lai de Mao Servan-Schreiber. »

Il était instructif de consacrer quelques lignes à ce magazine qui se prétend non conformiste alors qu'il ose encore enfourcher en 1973 les vieux chevaux de bataille fourbus de la misogynie la plus grossière. Il prouve que ces chevaux courent toujours et qu'ils courront tant que trop d'hommes continueront à préférer les personnes du sexe désarmées, puériles, maladroites, gentiment débiles, ne sachant pas réparer un pneu, pleurant pour un rien et ne comprenant pas grand-chose aux chiffres et à la politique... « Douce, admirablement sotte et toujours plus convoitée à mesure que plus sotte », écrivait Montherlant qu'ont lu et admiré tant d'Andrée Hacquebaut, tant de « jeunes filles » de ma génération, dont j'étais, bien sûr, avec une humilité masochiste.

Une bonne partie de la presse se délecte encore visiblement à entretenir cette piètre image : solution de facilité qui fournit bon an mal an aux journalistes un contingent d'articles bien parisiens et de plaisanteries éculées. On crée même encore des journaux pour remuer cette vieille soupe-là dans des marmites pimpantes dues aux meilleurs designers pour faire croire à la nouveauté du contenu. Lisant le n° 1 d'un magazine dit féminin qui a récemment cru utile de se créer en France sur le modèle d'un journal américain, j'y ai retrouvé les ingrédients cent fois remâchés que l'on s'attend — à la rigueur — à trouver dans un journal humoristique masculin, mais qui devraient nous écœurer quand ils prétendent s'adresser à nous. Parmi des articles sur l'inépuisable ruse des épouses quand il s'agit de tromper leurs maris ou sur l'humilité qu'il faut savoir déployer quand on gagne plus d'argent que son conjoint, afin de ne pas blesser sa virilité, toutes choses qui ne font pas évoluer la situation, une éditorialiste proposait à un mari pour la mille et unième fois « 50 trucs pour plaire à sa femme » :

1° Dites-lui qu'elle a maigri.

2° Passez toute une soirée à examiner sa garde-robe en lui disant ce que vous aimez et, avec beaucoup de tact, ce que vous aimez moins. *(Beaucoup de tact parce que les femmes, comme les singes et les nègres, sont très susceptibles !)*

3° Laissez-la gagner au gin.

4° Laissez-vous surprendre en train de relire ses vieilles lettres d'amour...

Je vous épargne les 46 autres trucs nauséeux propo-sés à un homme, qui ne peut être qu'un médiocre s'il les emploie, pour séduire une femme qui ne peut être qu'une débile si elle marche.

Ces manigances qui se font passer pour des échanges normaux et adultes entretiennent chez la femme une coquetterie bêlante et chez l'homme un paternalisme guilleret qui les empêcheront toujours l'un et l'autre de déboucher sur le vrai rapport, passionnant et dangereux, du couple. Sans fierté de soi-même et sans respect de l'autre, il n'y a pas de couple. Et la fierté de l'un ne se construit pas sur l'abaissement de l'autre. Cette sinistre habitude de pensée a été la plus grande cause des malheurs que les hommes et les femmes ont trouvés à vivre ensemble. C'est plus qu'une faute : c'est un mauvais calcul. Mais la vanité d'une part, une peur ancestrale et obscure de la féminité d'autre part, ont conduit l'homme à vouloir une femme faible et insipide plutôt qu'égale et excitante, malgré les déprimants résultats de ce genre d'alliance. Hervé Bazin l'a démontré dans *Le Matrimoine*, le roman le plus lucide qui ait été écrit sur le mariage traditionnel.

Pendant combien d'années encore les mâles feront-ils passer leur sécurité conjugale et ce qu'ils appellent si bêtement leur honneur viril — comme si l'honneur pouvait avoir un sexe — avant la belle inquiétude d'une liberté partagée ? Pendant combien d'années encore se croiront-ils obligés de bâtir leur personnalité sur l'écrasement d'une autre personnalité et seront-ils longtemps encore atteints de cette infirmité d'esprit qui mutile aussi le cœur ?

« Ma mère ? C'était une sainte ! » disait récemment

l'ex-président Nixon lors d'une interview. Cette phrase, combien de milliers de fils l'ont prononcée sans remords à travers les âges, à commencer par Jésus ? Plus lucides ou plus compatissants, quelques-uns précisent : ma *pauvre* mère.

CHAPITRE VI

NI CALENDRIER NI HARMONICA

> « Nous pouvons affirmer en toute certitude que la connaissance que les hommes peuvent acquérir des femmes, de ce qu'elles sont, sans parler de ce qu'elles pourraient être, est déplorablement limitée et superficielle et le restera tant que les femmes n'auront pas dit tout ce qu'elles ont à dire. »
>
> JOHN STUART MILL.

« IL écarta la vulve... ce n'était qu'un trou béant où il n'y avait ni calendrier ni harmonica. »

Description par un homme de l'organe sexuel féminin.

« Si fier, murmura-t-elle inquiète, et si seigneurial ! Mais au fond si beau... et dur et présomptueux comme une tour... Le poids étrange de ses couilles entre ses jambes ! Quel mystère ! Quel poids étrange, lourd de mystère... les racines, la racine de tout ce qui est beau, la racine primitive de toute beauté complète. »

Description par un homme de l'organe sexuel masculin.

Cher Lawrence ! Grand prêtre de la religion du phallus et obligé de se faire le propre prophète de son pénis [1].

Cher Miller que sa misogynie égare, il ne croyait pas si mal dire ! Le sexe féminin précisément possède un calendrier et un harmonica auxquels le pénis, si présomptueux et si mystérieux soit-il, ne saurait prétendre. Un calendrier lunaire qui règle le temps au rythme de l'univers et un harmonica, le clitoris, organe de luxe non voué à la procréation, capable de jouer seul sa partition ou bien d'induire au plaisir, par sa mélodie, ce violonsexe qu'est le corps féminin. Cette variété des zones érogènes, pour employer le langage des sexologues, cette richesse d'expériences que comporte une vie de femme pleinement vécue, y compris la grossesse, l'accouchement et l'amour maternel qui est, au début du moins, un phénomène quasi sexuel, auraient dû convaincre les femmes qu'elles n'étaient pas, comme Freud l'a prétendu après tant d'autres, « une image dégradée de l'homme ». Ce sont les hommes qui auraient dû l'envier. Mais quand on tient par la force le pouvoir, on ne le partage jamais. Faute de pouvoir supprimer ces richesses — mais non pas faute d'avoir essayé —, il ne restait qu'une solution logique : discréditer les fonctions féminines, en faire des phénomènes imposés par la nature, des fatalités biologiques à supporter ou à apprécier en silence. Et les femmes, prises dans la toile d'araignée des foyers,

1. Subtil écrivain, c'est Lady Chatterley qu'il charge de prononcer ce panégyrique de 300 pages sur le pénis d'Olivier Mellors, garde-chasse.

des lois et des tabous, souvent épuisées pendant les meilleures années de leur vie par une fécondité qui était dans ces sociétés une condition de survie, ont fini par vivre leur destin comme malédiction, souillure et douleur.

Comment a pu s'opérer cette escroquerie, dira-t-on ?

Eh bien il suffisait de commencer... par le commencement. Ayant pris la précaution d'écrire eux-mêmes la Genèse, les Evangiles, l'Ancien et le Nouveau Testament, les fondateurs (tous mâles) de notre religion judéo-chrétienne purent faire remonter l'indignité de la femme à la première femme.

« Pas de chance, Eve... dès le début, vous voyez... »

Pour se débarrasser par la même occasion de cet ennuyeux pouvoir créateur de la femme, ils eurent l'aplomb, contrairement aux données évidentes de l'expérience, de faire naître Eve d'une côte d'Adam.

« Pas de chance, Eve... mais Adam était là avant vous, mon témoignage est formel... »

Ayant ainsi fait de la femme un « être occasionnel et accidentel » (saint Thomas d'Aquin) il ne restait qu'à humilier intellectuellement cette créature qui parfois manifestait des velléités incongrues de ressembler à son maître. Ne pouvant décemment rééditer l'affaire d'Eve et faire naître Jésus d'une côte de saint Joseph, les temps mythologiques étant révolus, on fit en sorte du moins que la mère de Dieu fût un modèle impossible pour toutes les autres femmes, une sorte de reproche vivant. On en fit un monstre physiologique, la seule qui ait pu raconter qu'elle était enceinte par l'opération du Saint-Esprit et s'en trouver sanctifiée. Echappant au destin féminin, reniée dans sa chair — les théologiens n'eurent de cesse d'établir (!) que lors de la naissance du Christ « le sein de la Vierge était resté fermé [1] » — elle pouvait alors seulement racheter la tare d'être née femme. Mais pour toutes les autres demeuraient la tache, le péché, la conception maculée.

C'était le coup imparable. « Pour la première fois dans l'histoire de l'humanité, la mère s'agenouille devant le fils et reconnaît librement son infériorité. C'est la suprême victoire masculine qui se consomme dans le culte de Marie. » (Simone de Beauvoir.)

Jésus possédait un sexe d'homme et il n'est pas exclu qu'il en ait fait usage. Cela ne change rien à sa divinité. Mais le sexe de Marie, voué aux œuvres célestes, dut renoncer à ses fonctions sur les instructions d'un ange qui jugea inopportun de lui faire connaître les plaisirs de l'amour. Zeus, lui, accompagnait ses visitations de plaisirs inoubliables tout en prenant le temps au passage de procréer un ou deux demi-dieux. Autres temps, autres mœurs !

Cette malédiction religieuse n'est pas d'ailleurs le fait de Jésus, qui atténua la dureté de la loi hébraïque. On la doit à ce misogyne névrotique que fut saint Paul [2] et aux phobies non moins obsessionnelles d'un saint Augustin ou d'un Tertullien dont il faut

1. Ce qui fut obtenu au VIe siècle par le concile d'Ephèse dans l'Eglise orientale et celui de Latran en Occident et permit d'affirmer que Jésus n'avait pas transité par l'inacceptable vagin. Conçu par l'opération du Saint-Esprit, il était né de même.

2. Emile Gillabert, dans *Saint Paul, le colosse aux pieds d'argile* (Ed. Metanoia) démontre comment Paul de Tarse, qui n'avait pas connu Jésus, faussa son enseignement dans le sens d'une aversion phobique de la chair, identifiée au mal, et d'une religion exclusive du Père.

rappeler l'apostrophe haineuse bien connue : « Femme, tu es la porte du Diable... C'est à cause de toi que le Fils de Dieu a dû mourir. Tu devrais toujours t'en aller vêtue de deuil et de haillons. »

Forte de toutes ces condamnations, l'Eglise a exclu les femmes de toute fonction religieuse, ostracisme qui, des siècles plus tard, ne s'efface qu'à regret. Les lieux du culte se sont ouverts aux femmes menstruées, les conciles s'entrouvrent à quelques pisseuses subalternes admises comme auditrices, mais ne pouvant prendre la parole; mais sait-on que c'est en 1970 seulement qu'un chœur féminin fut autorisé à chanter pour la première fois à Saint-Pierre de Rome ?

Cette mise à l'index qui puisait sa source à de si hautes références encouragea la société tout entière à perpétuer un état de soumission féminine qui servait si bien les intérêts des chefs de famille, des chefs d'entreprise, des privilégiés et des hommes en général. Ce cheptel docile, travailleur, procréateur et dont les revendications se bornaient aux piailleries de quelques mégères, contribuait à l'équilibre et à la prospérité de l'ensemble. L'essentiel, c'était que les femmes se maintiennent à leur place, cette fameuse place fixée d'avance par le règlement, comme les sièges n° 1 et 2 réservés aux mutilés dans le métro.

Tout le monde allait s'y employer avec zèle, jusqu'aux savants qui firent dire à la science des choses à peine croyables. Un naturaliste comme Linné pouvait écrire il y a seulement deux siècles en tête de son *Histoire naturelle :* « Je n'entreprendrai pas ici la description des organes féminins car ils sont abominables. »

Elle règne toujours, cette sainte terreur des organes féminins que le psychiatre William Lederer explique d'une manière si glaçante (et si complaisante aussi) dans son livre *La Peur des femmes*[1]; sainte terreur qui s'est muée dans notre civilisation chrétienne en une sainte horreur. Depuis le jour où la petite fille devient l' « enfant blessée, douze fois impure » dont parle Vigny, jusqu'au jour où la ménopause fait d'elle un être sans sexe avouable, tout est vécu pour elle comme une humiliation, une honte à cacher ou une frustration. Le précepte de Mahomet : *La menstruation est un mal, tenez-vous à l'écart des femmes jusqu'à ce qu'elles redeviennent pures*, est l'exacte réplique de celui du Lévitique : *La femme qui aura un flux de sang en sa chair restera sept jours dans son impureté et quiconque la touchera sera impur jusqu'au soir* et répond à l'obligation en Inde de ne toucher ni l'eau ni la nourriture des siens pendant ces « journées maudites ». Mille traces en subsistent, ne serait-ce que le mot anglais qui désigne les règles : *the curse*, la malédiction. Des croyances dignes de mentalités tribales se perpétuent. Il y a exactement mille neuf cents ans, Pline écrivait dans son *Histoire naturelle* en 37 volumes : « La femme menstruée gâte les moissons (bigre, quel pouvoir), dévaste les jardins, tue les germes, fait tomber les fruits, tue les abeilles et fait aigrir le lait si elle le touche. »

Près de deux mille ans plus tard, la médecine n'avait pas évolué en ce qui concerne ce sujet puisqu'en 1878 le *British Medical Journal* affirmait que « la viande se corrompt quand elle est touchée par

1. *Gynophobia*, édité chez Payot.

des femmes ayant leurs règles ». Suivaient les c
deux jambons gâtés de cette façon. Et les mayo
ses qui ratent, les fleurs posées sur la table d'un di-
recteur par une secrétaire menstruée et qui se fanent aussitôt (exemple très sérieusement cité) et bien d'autres superstitions...

Une seule voix à ma connaissance a eu l'indépendance et l'audace de parler avec douceur de ce sang « menstruel » — ce mot affreux qui confère un air de maladie à la chose — celle d'Annie Leclerc [1] dans un livre troublant et qui va bien au-delà des revendications féministes habituelles, ou plutôt bien à côté. Modelée comme tout le monde par dix ou vingt siècles de misogynie bien digérée, j'ai lu avec un certain recul, un dégoût parfois, les lignes qui suivent : « Vivre est heureux. Voir, entendre, toucher, boire, manger, uriner, déféquer, se plonger dans l'eau et regarder le ciel, rire et pleurer, parler à ceux qu'on aime, voir, entendre, toucher, boire ceux qu'on aime et mêler son corps à leur corps est heureux.

« Vivre est heureux. Voir et sentir le sang tendre et chaud qui coule de soi, qui coule de source, une fois par mois, est heureux. Etre ce vagin, œil ouvert dans les fermentations nocturnes de la vie, oreille tendue aux pulsations, aux vibrations du magma originaire, main liée et main déliée, bouche amoureuse de la chair de l'autre. Etre ce vagin est heureux.

« Vivre est heureux. Etre enceinte, être citadelle, hautement et rondement close sur la vie qui pousse et se dilate au-dedans, est heureux.

« Mais accoucher, c'est vivre aussi intensément

1. *Parole de femme*, chez Grasset 1974.

qu'il est possible de vivre... expérience nue, entière de la vie. Accoucher est plus que tout heureux.

« Vivre est heureux. L'avons-nous jamais su ? Le saurons-nous jamais ? »

Et puis, sous mille couches de honte de mon corps, d'acceptation des répulsions masculines, de résignation à ce que je croyais mes infirmités, et de silence surtout, car il faut bien trouver le moyen d'être malgré tout une femme heureuse, j'ai soudain ressenti une douceur et un orgueil de moi-même.

« Vous avez même dégradé ce que l'homme vous accordait dans un mouvement de répulsion-fascination, poursuit Annie Leclerc dont je voudrais citer tout le livre, l'horreur de votre sang menstruel, la malédiction acharnée pesant sur votre gésine, l'écœurante nausée au spectacle de votre lait. »

C'est vrai, nous en avons fait des choses à vivre en cachette, comme des maladies.

Paroles de femme, enfin.

De tout ce qui fut tenté pour déprécier la fonction féminine, c'est l'histoire de l'enfantement qui constitue la plus triste et la plus scandaleuse illustration. La moins connue aussi. Non qu'elle ne soit pas CONNUE, au sens propre du terme. Mais elle est négligée, mise au rang des fatalités. C'est comme ça... C'est la vie... C'est le sort des femmes... Toutes phrases qui scellent irrémédiablement notre défaite.

Tout date du jour où l'homme découvrit son rôle dans la procréation, ce qui bouleversa le rapport des sexes et provoqua une mutation dans des sociétés souvent matriarcales jusque-là. Possédant déjà la force physique, indispensable pour survivre en ces temps anciens, les hommes s'emparèrent alors du pouvoir de procréer. « La mère, dit Eschyle, ne saurait donner la vie. Elle n'est qu'un vase où le germe vivant du père se développe... C'est au père que sont dus le respect et l'amour des enfants. Qui tue sa mère n'est pas parricide. »

Effaçant des siècles de jalousie pour ce mystérieux pouvoir féminin, les mâles allaient pouvoir fonder, sur une erreur biologique, des sociétés où les femmes ne pourraient plus jamais revendiquer la première place. Cependant, le goût des plaisirs et les mœurs démocratiques maintinrent en Grèce et à Rome un respect certain à l'égard des femmes. Après le naufrage de la civilisation gréco-romaine, le statut de la femme, sa vie quotidienne furent bouleversés. L'accouchement en particulier était entièrement passé, dans le monde chrétien comme dans le monde arabe, entre les mains des femmes. Nul homme, même médecin, ne devait être présent à l'heure d'une naissance. Contrairement à ce qui s'était passé dans l'Antiquité, on n'exigeait plus aucune connaissance particulière des sages-femmes qui allaient être pendant des siècles les seules à assister les parturientes. Au point que les découvertes de l'ancienne médecine, telles que la « conversion par le pied », qui permettait de faire naître normalement les enfants qui se présentaient par le siège (15 p. 100 environ) au lieu de les découper en morceaux pour les extraire du ventre maternel, furent OUBLIÉES. On comprend mal comment cette conversion, découverte par l'école d'Alexandrie sous les Ptolémée et pratiquée sans problème dans le monde antique, a pu tomber dans l'oubli pendant un millénaire et demi, si on ne se rapporte pas au grand courant chrétien et islamique de misogynie. Sous l'influence globale de ce mépris du corps et de l'âme de la femme, « l'obstétrique se dégrada au rang d'un artisanat ignoble [1] ». Les sages-femmes n'étaient tenues à aucun code professionnel et allaient de maison en maison avec un vieux fauteuil d'accouchement et un crochet de rétameur à la ceinture. Personne n'a jamais raconté les supplices sanglants qu'ont affrontés les femmes, le plus souvent 10, 12 ou 20 fois dans leur existence et cela pendant tant de siècles, se transmettant leurs terreurs de mère en fille.

Même les naissances sans complications étaient des épreuves redoutables par suite des tabous concernant une des « vertus naturelles » de la femme, la pudeur, qui obligeait les matrones à travailler à l'aveuglette sous les jupes de la parturiente, ainsi qu'on peut le voir sur les terrifiantes gravures de l'époque. Leurs mains restant presque à demeure pour écarter le col de l'utérus, les déchirures du périnée étaient tenues pour normales et personne ne savait les recoudre, alors qu'en chirurgie « normale », les sutures étaient chose courante. Les fistules internes et les infections chroniques constituaient les « suites habituelles » des naissances.

Si l'accouchement se prolongeait trop, la seule solution était ce qu'on appelait le « morcellement », opération affreuse qui exigeait de l'adresse et une grande robustesse. L'enfant était débité à l'intérieur de l'utérus et extrait en pièces détachées à l'aide de divers crochets. Est-il besoin de dire que l'anesthésie n'existait pas ? Et que, lorsqu'elle fut découverte par un

1. *A la recherche du grand secret ou les labyrinthes de la médecine.* Docteur H.S. Glasscheib, traduit de l'allemand, la Table Ronde.

dentiste du nom d'Horace Wells, en 1844, on ne jugea pas souhaitable de l'appliquer aux parturientes ? On se souvient du scandale que souleva la reine Victoria en demandant quelques bouffées de chloroforme lors d'un de ses nombreux accouchements.

Pour comble d'infortune, l'Eglise aggrava encore les risques de l'accouchement par un règlement de fer : elle imposa de ne considérer la femme enceinte que comme la dépositaire d'une nouvelle vie, plus importante que celle de la mère. En conséquence, au lieu de morceler le fœtus pour délivrer la mère, ce qui le privait du baptême, elle exigea qu'on ouvrît l'utérus pour en extraire l'enfant vivant. Les conciles et les synodes rappelaient sans cesse cette prescription bien qu'elle fût l'équivalent d'un arrêt de mort pour la mère, étant donné l'incapacité totale des sages-femmes à exécuter une césarienne. Elles attendaient l'agonie de la mère pour l'entreprendre. Aucune femme n'a survécu pour décrire cette torture, cet assassinat légal perpétré avec la bénédiction de l'Eglise.

Pour les médecins grecs, l'avortement était licite quand la *santé* ou la *vie* de la mère étaient en danger. Maintenant, il relevait de la damnation perpétuelle. Et en 1974 encore, une bonne part du corps médical était en recul sur l'humanisme grec puisque les femmes étaient autorisées à préserver leur vie, mais non leur santé.

Les fameuses Ecoles de médecine du Moyen Age, à Paris, à Padoue ou à Montpellier, ne faisaient même pas allusion à l'obstétrique, « domaine interdit par les bonnes mœurs, la religion et le respect humain ». Le terme « respect humain », que pouvait-il évoquer pour les hommes qui osèrent s'en prévaloir ? Cet interdit était si puissant qu'en 1521 un médecin de Hambourg sera brûlé — comme une sorcière — pour avoir osé diriger une naissance difficile déguisé en sage-femme.

C'est la Renaissance qui délivra les hommes et les femmes du joug de la pensée du Moyen Age. Alors Ambroise Paré put impunément effectuer les premières recherches anatomiques sur les femmes et c'est vers 1550 qu'il redécouvrit à l'Hôtel-Dieu la fameuse conversion par le pied. C'est en 1500 qu'un castreur de porcs suisse, Jacob Nufer, tenta et réussit la première césarienne sur une femme bien vivante, la sienne, que les sages-femmes se déclaraient impuissantes à délivrer. L'opération fut si adroite que l'enfant fut extrait sans dommage. Nufer ne sut pas recoudre la matrice et se contenta de suturer la plaie du ventre, mais l'accouchée survécut et mit au monde, normalement, quatre autres enfants ! Cependant l'opération, atrocement douloureuse, tomba en discrédit.

Assez curieusement, c'est aux goûts peu banals de Louis XIV que nous devons la véritable révolution dans l'accouchement. C'est parce qu'il éprouvait le désir d'assister aux accouchements de ses maîtresses qu'il fit remplacer la sinistre chaise en demi-lune par le lit, ce qui lui permettait de tout observer derrière une tenture. Il exigea pour mieux voir qu'on enlevât les lourdes jupes des parturientes pour les dénuder jusqu'à la ceinture, innovation scandaleuse. Une reine ayant été accouchée pour la première fois de l'histoire de France par un médecin, Julien Clément, en 1670, la mode se répandit de livrer le processus de la naissance à l'observation oculaire, ce qui allait transformer les données et le pronostic de l'accouchement.

Bien sûr, les conservateurs, les traditionalistes s'y opposèrent farouchement. Il fallut cent trente ans pour que la géniale invention du forceps, qui améliorait dans des proportions incroyables l'espoir de vie des nouveau-nés et les chances de survie de la mère, remplaçât les meurtrières « pinces à dents ». On ne s'en étonnera pas. Encore aujourd'hui la vie ou la santé des mères n'est pas un argument pour les doctrinaires. Il y a à peine plus de cent ans, lorsqu'un tiers des femmes se mirent à mourir de la fièvre puerpérale, qui se développait d'une manière foudroyante depuis que l'on n'accouchait plus chez soi mais dans des maternités surchargées où les médecins passaient d'une femme à l'autre sans la moindre désinfection, l'Eglise prêcha la résignation et déclara comme une vérité révélée : « La mort en couches est le tribut exigé par Dieu que les femmes doivent payer pour les joies de la maternité. » Comment mieux détourner les médecins de tout progrès en ce domaine ?

Tout près de nous, enfin, on se souvient de l'opposition hargneuse et obstinée des plus hautes autorités lorsque le docteur Fernand Lamaze ramena de Russie soviétique en 1951 le principe de l'accouchement psychoprophylactique, appelé un peu à la légère l'accouchement sans douleur. Ce fut une opposition d'ordre moral surtout, comme si l'on ne se résignait pas à libérer les femmes de ce tribut qu'elles avaient si longtemps payé. L'Ordre des médecins, toujours à la pointe du progrès, alla jusqu'à menacer de l'exclure. Il fallut l'accord du pape en 1956 pour oser dissocier naissance et punition. Que Paul VI se rassure d'ailleurs : l'accouchement n'est pas devenu une partie de plaisir.

On put lire à l'époque, sous la plume d'un médecin — disons plutôt d'un homme car quel médecin digne de ce nom déconseillerait l'anesthésie à un patient qui crie ? —, ces lignes d'une grande élévation de pensée : « Pour ma part, je garde encore toute ma tendresse pour ces femmes qui, pleines d'espérance et de sérénité, attendent sans crainte l'heure des suprêmes douleurs et les acceptent avec la volonté stoïque d'être la première à entendre le cri de leur enfant. Ne laissons pas perdre cette source de joie profonde. »

Les femmes ont un immense courage devant la souffrance, c'est vrai, et un amour souvent si impatient pour leur enfant qu'elles peuvent, pour le connaître plus vite, choisir de refuser l'anesthésie. Mais comment des hommes, des médecins ont-ils le front de nous vanter les bienfaits de ces « suprêmes douleurs » que nous sommes seules à pouvoir apprécier ? Comment accueilleraient-ils, eux, l'infirmière les exhortant à refuser l'anesthésie lors d'une extraction dentaire, au nom des satisfactions profondes qu'un homme peut tirer du stoïcisme et de la maîtrise de soi ?

L'élément masculin est d'autant moins fondé à nous encourager à cette joyeuse sérénité que la grossesse comme l'accouchement sont des phénomènes auxquels il ne s'est jamais beaucoup intéressé. Jusqu'à la seconde moitié du XXe siècle, sauf exceptions, ce n'étaient pas les plus brillants sujets qui se dirigeaient vers la gynécologie ou l'obstétrique et, d'une manière générale, la femme enceinte continuait à émarger à un sentiment de crainte ou de dégoût très largement répandu.

La mère en noir, mauve, violet,

Voleuse des nuits
C'est la sorcière dont l'industrie cachée vous met au [monde...
La mère,
Flaque sombre éternellement en deuil de tout et de [nous-mêmes,
C'est la pestilence vaporeuse qui s'irise et qui crève,
Enflant bulle par bulle sa grande ombre bestiale
Honte de chair et de lait
Voile roide qu'une foudre encore à naître devrait dé- [chirer [1]...

Un autre homme exprimait la même horreur, mais en prose :

« Ce corps bouffi et fissuré... fait pour la maternité et pour cette fin même assorti de toutes sortes de tumeurs, de rondeurs et de protubérances, n'a que trop tendance hélas ! à s'affaisser sur lui-même dès qu'il s'est délivré de son office, comme l'outre déchargée de son eau retombe en bourrelets indécents et stupides. L'homme de qualité se détourne de la femme comme le gastronome répugne aux viandes molles. » (S. Hecquet, une vieille connaissance...)

Dans un numéro des *Temps modernes* paru en avril 1974, de nombreuses femmes ont exprimé le reflet de cette horreur qu'elles rencontraient dans les yeux de tant d'hommes : « C'est quand nous sommes enceintes ou que nous allaitons qu'on voit les blocages de l'entourage en ce qui concerne l'animalité. On est des mammifères. C'est nous, les femelles, qui définissons l'espèce mais peu d'adultes aiment se souvenir qu'ils sont nés d'une femme. Les signes extérieurs de mater-

1. Poème de Michel Leiris intitulé *La Mère.*

ɔnt vécus comme plus obscènes que les obscéni- ꞉xuelles. C'est le scandale de notre nature qui éclate. »

C'est ce que pensait déjà Sade deux cents ans plus tôt :

« Représentez-vous-la quand elle accouche. Est-ce bien la peine de s'enthousiasmer devant un cloaque ? Voyez cette masse informe de chair sortir gluante et empestée du centre où vous croyez trouver le bonheur... »

Et c'est également la façon dont saint Jérôme ou saint Augustin voyaient la chose : « La grossesse n'est qu'une tuméfaction de l'utérus. » « Nous naissons entre les excréments et l'urine. » « La répugnance du christianisme pour le corps féminin est telle, fait remarquer Simone de Beauvoir, qu'il consent à vouer son Dieu à une mort ignominieuse, mais qu'il lui épargne la souillure de la naissance. »

C'est en tant que mère que la femme était redoutable, c'est donc dans sa maternité qu'il fallait l'humilier. « C'est pourquoi l'accouchement est la fête la plus maudite, la plus persécutée... celle où la répression fasciste de l'homme triomphe dans la torture. » (Annie Leclerc.)

Comme d'habitude ce n'est ni par l'humanisme ni par le libéralisme politique que ces tabous et ces résistances allaient s'effacer, la lâcheté ou l'indifférence masculines étant bien trop profondes, mais tout simplement par l'information. L'oppression féminine s'était toujours fondée sur des mensonges tout comme l'opposition au progrès. On se souvient de l'insensée campagne de contre-vérités qui nous a si longtemps détournées de la pilule. La grande innovation de l'accouchement dit sans douleur, c'étaient bien sûr les techniques employées pour faciliter l'enfantement, mais c'était surtout un changement radical d'attitude vis-à-vis de la femme enceinte. La parturiente cessait enfin d'être considérée comme une pauvre vache qui vêle et qui meugle sans rien comprendre à ses douleurs, pour devenir quelqu'un qui sait ce qu'il a dans le ventre et qui assume dans toute la mesure de ses forces les phénomènes qui vont s'y dérouler.

De nombreux films montrent aujourd'hui au grand jour, et pas seulement aux futures mères, ce happening, le plus beau du monde, si longtemps considéré comme une opération indécente et répugnante que les femmes devaient subir dans la solitude affective, l'ignorance et la peur, rachetant ainsi en quelque sorte le plaisir pris à deux. Les femmes ont toujours servi de sacrifice expiatoire aux hommes... Devant ces images qui viennent du début du monde, c'est l'émotion, la fascination et le respect qui succèdent à l'horreur et au dégoût. En vingt-cinq ans, l'obstétrique aura fait plus de progrès qu'en vingt siècles, les femmes enceintes sont sorties du ghetto et les médecins de leur routine pour s'ouvrir aux disciplines les plus nouvelles, depuis la psychologie fœtale jusqu'à l'écologie puisqu'on commence à se préoccuper du tout premier environnement que va rencontrer le nouveau-né [1]. C'est la fin de ces « salles de travail » où l'on abandonnait les femmes à des techniciens qui ne s'intéressaient qu'au diamètre du col de l'utérus, sans se soucier de cette angoisse millénaire où rôdaient tous les spectres et toutes les superstitions

1. *Pour une naissance heureuse,* Docteur Leboyer.

d'une aventure qui fut si longtemps hasardeuse.

Les femmes ne sont pas toujours entourées des soins nécessaires; du moins osent-elles aujourd'hui s'en plaindre, car il s'agit d'incurie ou d'indifférence, mais plus d'une malédiction. Il s'agit en profondeur de cette obscure résistance de la société à tout changement dès qu'il s'agit du sort des femmes. Jusqu'à la seconde moitié du XXe siècle, même dans les cliniques les plus mondaines, l'accouchement semblait retrancher les femmes dans un monde à part : les plus grands médecins n'accouchaient pas telle amie rencontrée dans un dîner parisien ou telle femme peintre ou telle personnalité, mais une sorte de femelle anonyme, qui pour quelques heures n'avait plus rien d'humain, pouvait hurler comme une bête et perdre toutes ses qualités propres pour n'être plus qu'un chaînon anonyme de l'espèce.

On sait aujourd'hui que chacune accouche à sa façon, comme chacun aime ou vit ou meurt et qu'il n'est pas plus déshonorant de réclamer une anesthésie qu'il n'est déshonorant de faiblir devant la torture. Qui peut juger de la souffrance d'un autre et l'honneur consiste-t-il à souffrir au maximum ?

Pourtant cette accession des femmes à la conscience, c'est-à-dire à la liberté, continue à rencontrer les obstacles les plus divers depuis l'obscurantisme jusqu'aux théories sociales de droite ou d'extrême droite; au point que Françoise Parturier a pu écrire très justement que « même le sexe de la femme est politique : son vagin est conservateur et son clitoris révolutionnaire ». Elle ajoute d'ailleurs que le nouveau féminisme a remporté « cette victoire amusante que le vagin est passé de mode ! L'orgasme vaginal n'est plus considéré comme le seul plaisir normal et équilibrant... Quelle bonne nouvelle ! »

C'en est une en effet. Tout ce qui est dédouané, tout ce qui nous est rendu pour que nous en fassions l'usage qui NOUS convient, est heureux. Mais il reste à convaincre les femmes qu'elles doivent s'exprimer et ne plus attendre l'autorisation des médecins pour être heureuses et les conseils des psychiatres pour se définir.

De même il est utopique d'attendre la révolution, de ne compter que sur le socialisme, le communisme ou le gauchisme.

« N'écoutez pas les hommes qui vous disent que la révolution suffira à résoudre le problème des femmes. Dans trois ou quatre ans, quand ils se seront fait couper les cheveux pour devenir directeurs à leur tour, ils seront aussi esclavagistes que papa[1]. »

Le mouvement de libération qui débuta à Vincennes après mai 68 lui a donné tragiquement raison : « La vulgarité politique et sexuelle des alliés masculins fut incroyable... Quand une femme prend la parole, les hommes deviennent fous : « A poil ! Emmenez-la... Va te faire baiser. » Ils huent, s'esclaffent aux mots à double sens... Nous nous attendions, nous craignions même une sérieuse opposition des hommes, déclarèrent les femmes de la Base rouge de la révolution, mais nous n'attendions pas une telle bordée d'injures. Tandis que nous distribuions des tracts dans la rue, des hommes de notre mouvement nous suivaient en nous injuriant : « Lesbiennes !... A poil... T'as besoin de baiser[2] ! »

1. Betty Friedan.
2. Juliet Mitchell, *L'Age de femme*, aux éditions des Femmes.

Aucun mouvement, que ce soit la gauche, les ouvriers, les Noirs ou les étudiants, n'est exempt de ce type de réaction. C'est toujours la même alternative : le respect mystificateur ou l'injure; on passe sans transition de la mère à la putain. Simone de Beauvoir, qui ne voulait pas faire du féminisme un combat particulier et qui espéra pendant vingt ans que la libération des femmes découlerait automatiquement d'une évolution marxiste, a changé d'avis aujourd'hui : « Moi-même, du fait que j'ai plus ou moins joué un rôle de femme-alibi, il m'a longtemps semblé que certains inconvénients inhérents à la condition féminine devaient être simplement négligés ou surmontés; qu'il n'y avait pas besoin de s'y attaquer. Ce que m'a fait comprendre la nouvelle génération de femmes en révolte, c'est qu'il entrait de la complicité dans cette désinvolture... La lutte antisexiste n'est pas seulement dirigée, comme la lutte anticapitaliste, contre les structures de la société, elle s'attaque en chacun de nous à ce qui nous est le plus intime et ce qui nous paraissait le plus sûr [1]. »

Il ne faut donc plus espérer qu'une politique d'hommes résoudra nos problèmes, ni nous laisser enfermer dans les sections féminines de quelque parti que ce soit, sections aussitôt transformées en bureaux d'études marginales préposés aux tâches traditionnellement féminines. Il faut nous mettre à compter sur nous-mêmes et d'abord cesser d'avoir peur du mot féministe auquel on a habilement réussi à donner une nuance si péjorative que personne n'ose plus se poser en défenseur des femmes sous peine de mériter cette

1. *Les Temps modernes.*

étiquette. Françoise Giroud elle-même, qui ne s'occupe actuellement que des droits des femmes, prend soin périodiquement de préciser qu'elle n'est pas féministe. Nous-mêmes renchérissons trop souvent sur ce dénigrement systématique, car se critiquer, c'est une manière de se désolidariser de l'infériorité de son groupe et de se faire bien voir de l'autre...

Il faut maintenant que les femmes prennent conscience d'elles-mêmes et cessent de croire que leur situation, leurs angoisses, leurs problèmes sont une affaire purement personnelle. Insérer leur malaise et leurs craintes dans un sentiment commun de leur oppression dans la société, c'est précisément ce qui constitue l'indispensable prise de conscience. C'est elle qui débouche sur le désir puis le pouvoir d'agir. Le symptôme majeur de notre faiblesse, c'est précisément la conviction que nous sommes isolées, vouées au mutisme et à la résignation.

C'est en lisant ces affreux livres féministes, qui sont parfois si émouvants, que les femmes se découvriront enfin solidaires, non pas d'un groupe ou d'une classe sociale, mais de la moitié de l'humanité. Car l'histoire n'est plus tout à fait la même depuis que les hommes ne sont plus les seuls à en rendre compte. L'histoire du féminisme notamment avait toujours été écrite par des hommes. La dernière en date, celle de Maurice Bardèche, est comme on pouvait s'y attendre, sarcastique, indulgente ou amusée, syndrome de la plus classique des misogynies, et elle est truffée de ces anecdotes ridiculisant *ces dames* qui *se piquent* de faire de la politique, *sont frottées* de littérature, et *pérorent* dans les salons. Vocabulaire vieillot, soigneusement choisi pour remettre les femmes à leur place et dévaloriser leur conscience politique, leur talent littéraire ou leur courage. L'histoire du mouvement féministe vue par ces messieurs, qui *se piquent* d'objectivité et *pérorent* du haut de leur virilité, ce n'est jamais que l'historiette de quelques emmerdeuses, nymphomanes si elles font l'amour, viocques stériles si elles sont vertueuses, mais de toute façon hystériques et méritant une bonne fessée... ce qui ne pourrait d'ailleurs que leur faire plaisir. Ne dit-on pas en effet une *bonne* fessée ?

Même les livres qui reçoivent un accueil honorable de la critique, combien de femmes se décident à les acheter ? Je ne pense pas pourtant qu'une seule d'entre elles puisse lire celui d'Annie Leclerc, par exemple, sans sentir vibrer en elle une corde inconnue, longtemps muette, mais profonde et puissante et qu'elle ne pourra plus oublier.

Dans la curieuse petite *Librairie des femmes* qui s'est ouverte rue des Saints-Pères à Paris et qui ne vend que des livres écrits par des femmes, romancières ou essayistes, classiques ou modernes, féministes ou simplement féminines [1], on ressent en entrant pour la première fois une gêne peut-être, une timidité mais qui se muent très vite en un plaisir bizarre. Depuis l'école, nous n'avons plus jamais été *ensemble*. Pas de service militaire, peu ou pas de clubs féminins en France, pas de week-ends de chasse ou de dîners d'anciens combattants. L'amitié se case où elle peut dans les interstices de la vie conjugale ou familiale. Elle passe toujours après. Et tout à coup, là, on trouve des femmes qui at-

1. Elle a d'ailleurs créé sa propre maison d'édition qui publie d'excellents livres et s'est mise à vendre également des livres d'auteurs masculins mais toujours sur des sujets intéressant les femmes.

tendent d'autres femmes, qui sont là pour parler des femmes et vendre des femmes... On respire autrement, c'est une sensation neuve et bonne. L'autre jour un homme, jeune, feuilletait un livre dans cette librairie... il m'a paru délicieusement incongru, un intrus chez nous (mais sympathique), alors que nous sommes si souvent des intruses dans le monde des hommes.

Des intruses aussi dans le monde de la critique où l'on ne parle jamais « normalement » des livres de femmes. L'un des plus récents livres féministes, la *Lettre ouverte aux femmes* de Françoise Parturier, plein de constats lucides, d'idées neuves et d'humour, a été accueilli avec ce mélange de bonhomie et de condescendance qui est le mieux que puisse espérer ce genre d'ouvrage, la réaction habituelle étant plutôt l'indifférence ou l'ironie. Et c'est vrai pour tous les écrivains femmes. Colette n'est pas à sa vraie place dans la littérature. De Mme de Staël, pas plus ennuyeuse que Fénelon ou Joseph de Maistre, loin de là, on est visiblement ravi de dire : « C'est pas grand-chose, hein ? » sans en avoir lu une ligne. C'est vrai pour George Sand qu'on affecte de considérer surtout comme une dévoreuse de grands hommes, alors qu'elle se conduisit avec Chopin en amoureuse maternelle, et qu'on ne songerait jamais à mettre en avant la vie sexuelle de Théophile Gautier ou de Lamartine quand on parle littérature.

Quant à une femme comme Gisèle Halimi, pour ne citer que cet exemple parmi mes contemporaines, faites l'expérience : vous recueillerez quatre fois sur cinq la réaction suivante : « Oh ! celle-là, elle m'énerve. Je ne sais pas pourquoi, je ne peux pas la voir ! »

Le pourquoi me semble assez clair : si elle était sans talent, sans amour ou sans beauté, quel soulagement ! Tout serait alors dans l'ordre. Mais elle a privé ses ennemis de ce triple plaisir. Les féministes d'aujourd'hui commencent à être sans pitié avec les hommes ! Gisèle Halimi est combative et elle n'est pas hommasse; elle se bat pour l'avortement libre et elle a deux fils; elle exerce avec passion un métier accaparant et trouve le temps d'être une militante politique, mais elle n'a pas renoncé à l'amour... tout cela est bien irritant !

Mais rien ne changera profondément aussi longtemps que ce sont les femmes elles-mêmes qui fourniront aux hommes des troupes d'appoint, aussi longtemps qu'elles seront leurs propres ennemies. De très inquiétantes expériences ont été faites aux Etats-Unis qui démontrent à quel point nous sommes intellectuellement colonisées, à quel point nous avons intériorisé l'opinion que l'on a de nous : deux cents étudiantes ont été invitées à juger un essai philosophique. Aux cent premières, on a remis un essai signé John Mac Kay; aux cent autres, le même essai mais signé Joan Mac Kay. Le travail de John, dans la grande majorité des cas, a été considéré comme original, profond et fécond. Celui de Joan a été estimé superficiel, banal et sans grand intérêt.

Tout aussi désolant le fait que bon nombre de femmes continuent à préférer un gynécologue mâle alors que tout, leur fameuse pudeur naturelle, une connivence d'organes et une élémentaire fraternité, devrait les inciter à parler plus facilement de « cette chose-là » à un médecin de leur sexe, qui par ailleurs a satisfait aux mêmes épreuves que son homologue masculin, dont le seul avantage (?) est de posséder un pénis, mais d'ignorer ce que peut représenter le fait de sentir bouger une vie dans son ventre.

De même, on sait que les femmes ne votent pas volontiers pour une autre femme lors des élections. Comment espérer dans ces conditions qu'il en parvienne jamais en nombre suffisant dans les conseils municipaux ou régionaux, ou au Parlement ? On se doute bien que ce ne sont pas les hommes qui vont promouvoir les femmes si celles-ci ne font rien. Et comment espérer que les 8 femmes noyées à l'Assemblée parmi 480 hommes soient autre chose que des alibis, des femmes-sandwiches ? D'ailleurs ont-elles jamais pris une position en flèche, prononcé un discours remarqué, sont-elles jamais intervenues d'une manière violente dans un débat quelconque ? Trop flattées d'être élues *bien que* femmes, elles n'ont cherché qu'à ne plus se faire remarquer, qu'à se conduire comme des hommes, sans soulever d'indécentes questions féminines.

Il est déjà difficile pour une femme de se porter candidate à une fonction publique, alors qu'elle exerce, en plus d'une activité professionnelle normale, la profession complémentaire de mère ou d'épouse. Quand en plus l'échec est régulièrement au bout de l'effort, quand la désaffection des électrices amène les partis politiques à ne proposer aux candidates que des circonscriptions perdues d'avance (pour ne pas risquer un siège qu'un homme emporterait à coup sûr), alors c'est la plus sûre manière de décourager les femmes de s'occuper des affaires de leur pays.

Mais on continue hélas ! à entendre des dames dire avec satisfaction, presque avec fierté : « Moi, la politique ne m'intéresse pas. » Ou bien : « La politique, ce n'est pas l'affaire des femmes. » Alors que c'est ce qui détermine leur vie quotidienne, le nombre même de leurs enfants, leur place dans le monde du travail, leur retraite, leur vieillesse. Alors que c'est aussi pour un proche avenir la guerre ou la paix, le désarmement ou la bombe atomique. Et elles osent dire qu'elles n'ont rien à dire ? Faut-il que la séculaire propagande masculine pour les river exclusivement au berceau, au plumeau, au dodo, ait réussi !

Nous ne ferons peut-être pas mieux ? Si nous avons le courage d'être nous-mêmes, nous ferons peut-être autre chose. Tout est dans peut-être.

CHAPITRE VII

LES PORTIERS DE NUIT

AH ! Cette chère vieille image de la femme ! Beaucoup ne la voient pas s'estomper sans nostalgie, sans inquiétude ou sans colère. Ce mouvement irréversible qui s'amorce, cette indifférence naissante de la femme aux divers chantages qui avaient si bien fonctionné jusqu'ici, ce goût qui lui vient pour l'amour sans déchéance et sans péché, sans obligation de don total non plus, voilà qui bouleverse la grande, la bonne tradition de l'humiliation féminine qui fondait la superbe masculine; voilà qui déclenche une rage hystéro-sadique chez tous ceux qui ne se résignent pas à l'abandon des rapports fascinants et dégradants du bourreau et de la victime.

Ayant épuisé l'effet d'un grand nombre de méthodes, ces gens-là viennent d'avoir une idée de génie : la récupération par le bas. Sous couvert d'exalter cette liberté de mœurs qu'a apportée la révolution sexuelle, il s'agissait de traiter toutes les femmes comme des putains en puissance, contrebalançant ainsi les droits qu'elles venaient d'acquérir par l'avilissement, la souillure et la torture, présentés sous l'emballage artistique de l'érotisme ou de la pornographie. Comme la vertu avait été obligatoire, il fallait que la licence devienne un devoir, théorie dont on trouve un écho sordide dans un certain nombre de comportements masculins d'aujourd'hui.

« Tu n'es pas vierge ? Alors pourquoi fais-tu tant d'histoires ? »

Raisonnement courant, utilisé ici par un militant gauchiste à l'égard d'une militante, pour récupérer en quelque sorte son indépendance politique par sa dépendance sexuelle. (Cité par *Les Temps modernes*, 1974.)

Le flot d'adolescentes nues et enchaînées qui déferle sur les écrans, de vieillardes lubriques et déchaînées, de femelles goulues, et la description complaisante dans la littérature spécialisée de tant de cons méprisés et puants, torturés, écartelés, compissés, révolvérisés, n'est qu'un autre aspect, plus commercial, de cette récupération.

Toujours soucieux d'illustres cautions, quitte à les déformer pour les besoins de leur cause, les théoriciens du mouvement ont déterré le marquis de Sade dont ils ont entrepris la divinisation et, comme on ne saurait se passer aujourd'hui de référence psychanalytique, ils se réclament de Freud, qui, malgré sa vie puritaine et assez terne sur le plan du sexe, apportait un peu d'eau à leur sinistre moulin. Forts du snobisme entourant le culte de Sade et de la crainte révérencielle que suscite encore le nom de Freud, ils se permirent d'affirmer que la cruauté constituait le comble de l'amour puisqu'elle répondait à la nature profonde des deux partenaires, satisfaisant à la fois le masochisme passif de la femelle et l'agressivité naturelle du mâle.

En réalité, cette sexualité liée à la violence et à la mort n'est qu'un avatar soi-disant neuf d'une morale vieille comme le péché.

« La volupté unique et suprême de l'amour gît dans la certitude de faire le mal », a écrit Baudelaire et auraient pu écrire Sade, Lautrémont, Masoch, Bataille, Leiris et mille autres. « L'essence de l'érotisme est souillure... Je n'éprouve qu'un mouvement d'effroi et de répugnance devant la vie sexuelle... Je puis dire que la répugnance, l'horreur sont le principe même de mon désir... J'ai couramment tendance à regarder l'organe féminin comme une chose sale ou comme une blessure, pas moins attirante pour cela, mais dangereuse en elle-même comme tout ce qui est sanglant, muqueux, contaminé... La femme, cette horreur obscène et infectée... » Peu importent les auteurs de cette monotone litanie, dignes fils spirituels des Pères de l'Eglise, tous éprouvent la même horreur fascinée pour les organes sexuels féminins. Pour eux, la fente, c'est le Diable : velue sous la robe, elle est ouverte à l'ordure et charrie le sang menstruel qui est l'« horreur informe de la violence ». Très vieux langage qu'un style parfois admirable ne suffit pas à justifier. Le désir se réduit au goût pour ce qui est sale, dégradant et destructeur, donc pour la mort. Nous progressons là en terrain connu et sous la houlette du « Divin Marquis », qui eut au moins le mérite de manifester ouvertement « le plus monstrueux mépris de la femme qui ait jamais fondé une philosophie ».

Sa réhabilitation aujourd'hui devrait nous mettre en garde. En réalité, « c'est par la faute d'une détention abusive, d'une censure rancunière et pusillanime, que Sade fut mis sur un piédestal et consacré martyr, grand philosophe, écrivain majeur et spécialiste de l'érotisme, écrit le cher Gérard Zwang. Du coup, la névrose dont il peint sans se lasser le tableau barbouillé de merde et de sang s'est parée des couleurs de l'érotique... » Mais terminées leurs décharges, poursuit l'auteur, et c'est bien bon de lire ces lignes sous une plume masculine, les personnages « n'aspirent qu'à prendre la parole pour d'interminables sermons, dans un style aussi terne qu'emphatique », dont même Georges Bataille admet qu'on doit les lire avec patience et résignation.

Un point commun chez tous ces auteurs : le mode d'emploi de la femme.

« Il n'y a pas d'attention à porter aux propriétaires de cons. »

« Il n'est nullement question de l'état où peut être son cœur ou son esprit. »

« Avez-vous pitié du poulet que vous mangez ? Non, vous n'y pensez même pas. Faites-en donc autant pour la femme. »

« Je me sers d'une femme par nécessité comme on se sert d'un vase rond et creux dans un besoin différent. »

« Pendant le coït, tout cela s'écoulait hors de moi comme si je déversais des ordures dans un égout. »

« Il n'est nullement nécessaire de leur donner des plaisirs pour en recevoir. Que les hommes ne voient en elles, ainsi que l'indique la nature, ainsi que l'admettent les peuples les plus sages, que des individus créés pour leur plaisir, soumis à leurs caprices, dont la faiblesse et la méchanceté ne doivent mériter d'eux que du mépris. »

« Tu n'ouvriras désormais ici la bouche en présence d'un homme que pour crier ou caresser. »

C'est au style, non aux thèmes, que l'on peut reconnaître les auteurs. Pas l'ombre d'un baiser chez ces écrivains mortuaires, pas l'ombre d'une tendresse, pas un geste de complicité, pas un échange, tout est vécu sous le signe d'un égoïsme monstrueux, d'une scatologie morbide, de la plus classique des régressions sadico-anales. Dans ces ouvrages, pratiquement pas une allusion au clitoris, les « héros » ne se souciant pas de perdre du temps à susciter le plaisir féminin. Cet organe n'est jamais mentionné chez Georges Bataille, qu'on fait pourtant passer pour le grand théoricien de l'érotisme. Leurs phantasmes, leurs jouissances sont exclusivement basés sur l'ignominie du con. Est-elle de Sade, de Miller ou de Bataille, cette rêverie amoureuse ? « Je voudrais une putain très impure, je voudrais qu'elle débouchât pour moi de la lunette des commodités, que son cul sentît bien la merde et que son con sentît la marée. »

De Bataille, de Miller ou de Sade, cette éjaculation anticléricale ? « Simone suça de nouveau [le prêtre] et l'amena au comble de la rage des sens puis :

« — Ce n'est pas tout, dit-elle, maintenant il faut pisser. »

« Elle le frappa une seconde fois au visage puis se dénuda devant lui et je la branlai. Don Aminado remplit bruyamment d'urine le calice maintenu par Simone sous la verge.

« — Et maintenant bois », dit Sir Edmund.

« Le misérable but dans une extase immonde. »

L'Œil est un beau livre tragique, peut-être. Bataille est un grand écrivain, sûrement. Mais est-ce suffisant pour présenter comme un bréviaire de l'érotisme une œuvre où l'émission d'urine passe pour l'une des plus hautes manifestations de l'émotion sexuelle ? Qu'elle s'écoule dans une armoire normande ou dans la bouche d'un mourant, l'urine ne parvient jamais à sentir le soufre... et la brave odeur du pipi serait plutôt de nature à couper les effets de cette littérature !

Un autre « maître de l'érotisme », Henry Miller, qui passe pour représenter la liberté sexuelle la plus joyeuse, est en réalité, comme le démontre brillamment Kate Millett dans *La Politique du mâle*, le « point de rencontre de toutes les névroses sexuelles américaines ». Pas question d'amour dans son œuvre mais seulement de « séances de foutre » et de l'obsession constante d'humilier « tous ces cons en chaleur, cons prétentieux qu'on force, cons offerts, merveilleusement impersonnels... », cons américains, pas fameux... cons français, les meilleurs parce qu'à Paris la prostitution est bien au point. « A l'hôtel, je n'avais qu'à sonner pour avoir des femmes, comme on demande un whisky et soda. » (*Jours tranquilles à Clichy*).

C'est aussi Norman Mailer, prisonnier du culte de la virilité, qui pose l'humiliation de la femme comme condition indispensable au triomphe de l'homme. Selon Miller, la liberté pour les femmes, c'était la liberté de se conduire en putes, leur désir secret à toutes. Pour Mailer, l'idée même de liberté est insoutenable et tout ce qui peut faire échapper les femmes à leur destinée passive est à proscrire : « Je hais la contraception. C'est une abomination. Je préférerais encore avoir ces foutus communistes chez moi. »

Quel aveu ! Quels aveux !

C'est Lawrence, horrifié lui aussi par les prémisses

de cette libération et qui veut sauver ces « êtres bizarres » par le mystère admirable du phallus. Dans ses romans, les organe féminins ne sont *jamais* décrits, le plaisir féminin est sans importance, passif, peu souhaitable. Là aussi les dames ne doivent pas remuer sous peine de voir l'homme, « mystérieux et implacable », se retirer d'elles plein de répulsion devant l'extase féminine (*Le Serpent à plumes*).

C'est Michel Bernard qui, dans *La Négresse muette* (une manière de femme idéale en somme, triplement soumise !) définit le désir du mâle : « Rien ne me plaît, grogna-t-il. Vous devez m'obéir, c'est tout. Et m'obéir, c'est d'abord être humide, toujours, pour que je puisse toujours profiter de vous. Car je veux profiter, comprenez-vous ? Pas vous aimer, ni vous faire jouir, mais satisfaire mes besoins, mes vices; et vous prostituer car je suis voyeur. »

Même programme aguichant pour l'héroïne d'*Histoire d'O* : « Vos mains ne sont pas à vous, ni vos seins, ni tout particulièrement aucun des orifices de votre corps que nous pouvons fouiller et dans lesquels nous pouvons nous enfoncer à notre gré. »

Quel que soit le livre, c'est toujours le même héros masculin qu'on retrouve, jouissant avec la même superbe d'une créature qui se réduit pour lui à deux orifices au bas du corps, plus un troisième au bas du visage, et qu'il s'obstine à appeler femme bien qu'elle ne soit plus qu'une poupée qui se mouille et qui pleure, mais qui ne sait même plus dire maman.

Aujourd'hui encore, il paraît que la seule vraie subversion, le meilleur moyen de libérer la société de la morale bourgeoise, c'est de récrire *Justine, Sexus* ou *Histoire d'O*, assaisonnés d'un peu plus de violence et de haine comme l'autorise et l'apprécie notre époque. Les prestiges du style, un talent parfois éclatant peuvent faire de ces livres des œuvres d'art ou des aphrodisiaques, mais que Roland Barthes, Philippe Sollers ou Michel Leiris en parlent comme d'actes révolutionnaires est atterrant, alors qu'ils ne font que renouer avec le plus banal sadisme. Que Madeleine Chapsal déclare du *Paysage de Fantaisie* de Tony Duvert que « sa lecture difficile retrouve la dimension trop souvent perdue d'activité *subversive* », que Poirot-Delpech, parlant du même livre, évoque également « la seule vraie *subversion* conduisant à un monde *libéré* », tout cela paraît d'autant plus surprenant que les auteurs, loin d'apparaître libérés, manifestent tous les signes d'un esclavage à des obsessions et à des phobies très anciennement répertoriées. En fait, sous leurs théories pseudo-révolutionnaires et pseudo-modernes, ils perpétuent fidèlement la vieille malédiction du péché originel et toutes les superstitions et les tabous de cette société qu'ils prétendent détruire.

C'est ainsi que *Eden, Eden, Eden* (qui serait mieux baptisé « Géhenne, Géhenne, Géhenne »...), œuvre de Pierre Guyotat, nous est présenté comme un texte libre : libre de tout objet, de tout symbole. « Il s'écrit, paraît-il, dans ce creux... où les constituants traditionnels du discours seraient de trop [1]... » Il me semble à moi, qui ne suis pas critique il est vrai, que l'on retrouve chez Guyotat, comme d'ailleurs chez Tony Duvert, sinon les constituants traditionnels du discours, du moins tous les constituants de la littérature pornographique la plus classique.

1. Roland Barthes, dans la préface de ce livre.

« Ils sont à poil le vieux la vieille... J'ai emporté plusieurs fouets on est là les plus costauds on a un fouet chacun on les met en sang et ils obéissent... La bonne femme couchée en croix chaînes aux quatre membres et qu'on tend avec des treuils ses jambes s'écartent de plus en plus ça craque horrible aux hanches sa moule bâille on y enfonce une massue hérissée de pointes mouillées de liqueur qui rend fou... »

Il y a 270 pages de « texte libre » de ce style.

Eh bien, merde ! Marre de ces obsessions toujours les mêmes, même en « modern style » sans ponctuation; marre que d'éminents philosophes ou sociologues nous présentent comme *libres, neufs* et *révolutionnaires* ces vieux schémas malades qui s'efforcent en vain de mettre en scène d'une manière originale l'éternelle panoplie du petit sadique : la merde, le pus, le sang, le sperme (tout de même !), le fouet et les chaînes dans un habillage pimpant mais dans des œuvres rétrogrades où les femmes ne cessent d'être prisonnières et bafouées par des mâles nés de rêves mégalosexistes qui déchargent des déluges de sperme sur des créatures qui n'en ont jamais assez.

La révolution, ça ? La subversion ? C'est très exactement le monde bourgeois qui continue, où quelques obsédés de violence virile qui se croient des prophètes conchient les femmes, leur écartèlent la moule et les font mourir en les baisant tant ils les haïssent d'avoir envie d'elles. Un monde complètement falsifié où le sexe est artificiellement séparé de la vie et servi en concentrés vomitifs jusqu'à ce qu'on en crève d'indigestion. Le premier appétit émoussé, on se sentirait presque envahi d'une revigorante rigolade, si tout cela n'était aussi mortellement haineux et triste.

Bien entendu ces textes-là doivent comme tous les autres avoir le droit de paraître, d'être lus, éventuellement savourés, mis en pratique à deux, à trois, à dix, tout ce qu'on voudra. Ils répondent sans doute chez un plus grand nombre d'hommes qu'on ne pense à une nostalgie de violence et de domination. Ils peuvent avoir un intérêt thérapeutique, une valeur de défoulement, car dans la vie courante il n'est pas facile de trouver le décor et les acteurs de pareils psychodrames. C'est le camp de concentration décrit par Lilianna Cavanni dans son film *Portier de nuit* qui se rapproche le plus finalement de ces châteaux de cauchemar, univers clos où s'épanchent en toute quiétude les bas-fonds de l'âme humaine.

Mais il ne faut pas nous laisser impressionner par les vaticinations, même des hommes les plus intelligents. Ces livres sont merveilleusement écrits, parfois. Excitants, souvent. Jouissifs, d'accord. Mais ils sont irrémédiablement vieux, esclaves de vieux phantasmes, défenseurs d'une très vieille imagerie de la femme et écrits par de vieux enfants demeurés au stade du pipi-caca, ce qui n'exclut pas, bien sûr, le génie poétique ou littéraire.

« Il la garderait prisonnière dans la cabane toujours attachée nue, sans eau, sans nourriture il vient en secret après l'école, il la baise il ne lui parle jamais elle crève à petit feu il lui mord l'abricot jusqu'au sang il lui défonce aussi le cul il a cloué dans la paroi derrière elle un morceau de bois en équerre qui lui pique l'anus et il la déchire dessus en la baisant il lui pisse au ventre avant de partir il revient encore le soir il boxe sa figure de mourante il écartèle la vulve avec les doigts il y plonge la main il referme le poing dedans il détache la fille il la jette par terre s'agenouille l'enfile en la soulevant par les pieds il la balance sur sa bite et jute jute en balançant [1]... »

Apothéose du mâle qui jute. Ce n'est pas la révolution, c'est la « grande bouffe » du sexe.

« Pour opérer cette sape (de la morale bourgeoise), l'auteur, Tony Duvert, compte notamment sur la pornographie, jugée moins bourgeoise, moins récupératrice que l'érotisme. » (Poirot-Delpech.)

Mais est-ce que nous ne sommes pas récupérées précisément dans ce texte de Tony Duvert ? « Rien de tel n'a été tenté depuis Sade », prétend Roland Barthes dans la préface. Mon œil, comme dirait Bataille ! La pornographie a toujours existé et n'a jamais rien sapé. Elle a toujours fait plaisir aux mêmes hommes et aux mêmes femmes et choqué les mêmes autres. Elle a toujours snobé les mêmes gogos qui, au lieu d'avouer tout simplement que ces livres les aident à se branler, pérorent doctement sur ces manifestations viriles de violence et de mépris, « par moments insoutenables ». (C'est là que c'est le meilleur !)

Les lecteurs pétris de chrétienté éprouvent la divine excitation d'une transgression en savourant des « livres que la morale condamne, que la société réprouve, que la justice châtie, que le conscient refoule » (M. Chapsal). En fait les éditeurs ne les refoulent pas, la justice les châtie rarement et la société adore ça... ou l'ignore royalement.

Avec son habituelle lucidité, Zwang met l'accent sur les vrais mobiles de la censure, dont les représentants, sans oser l'exprimer avec la même obscénité,

1. *Sur un paysage de fantaisie,* Tony Duvert.

sont au fond tout à fait d'accord avec la vision baudelairienne ou sadienne de l'amour-souillure : « Le plus grand artiste peut décrire, peindre, dessiner, filmer les plus belles, les plus émouvantes, *les plus heureuses* des scènes érotiques : il risque d'avoir des ennuis. Y introduit-il de la violence, du malheur, de la laideur, de l'horreur et cette sauce fétide conviendra au palais des goûteurs sociaux... L'adolescent tourmenté par l'érotisme (le vrai) ne risque pas de se faire une image plaisante, donc néfaste, du sujet. »

Il n'y a AUCUN danger — sauf à perdre un peu de fric — à écrire de tels livres et ils n'ont AUCUNE valeur révolutionnaire, ils sont même extraordinairement colonialistes.

Cette vision de la sexualité, domaine réservé, coupé de la vie, est d'ailleurs responsable de l'étonnant changement à vue qui s'opère chez tant de nos contemporains quand ils se déshabillent pour sacrifier à ce qu'ils croient être la part d'ombre, la part animale de leur vie.

Qui n'a vu — je parle de femmes libres pour qui le mariage n'est pas l'équivalent civil du Carmel, ni la jeunesse une chaste attente du prince charmant — l'étudiant timide à lunettes, savant exégète de Platon ou de la théorie des quanta, se muer, à l'instant d'enlever ses lunettes et son slip, en bouc brutal et sommaire, s'encourageant d'obscénités de corps de garde et mimant pour s'exciter le viol d'une captive ?

Qui n'a rencontré un distingué énarque, un homme politique, un élégant aristocrate, brusquement obligés par je ne sais quelle résurgence préhistorique, quelle imagerie d'Epinal du sexe, à parler comme des soudards, à injurier leur partenaire et à décrire leur sperme comme la manne céleste venant féconder le désert ? Pourquoi est-il si souvent impossible de faire l'amour avec l'homme qui vous a plu, l'homme tout entier, plutôt qu'avec le bestiau qu'il croit préposé à cet usage et qu'il cache soigneusement dans son complet veston après la corrida, avant de se laver les mains, de réendosser sa vraie personnalité et de penser à autre chose avec un soupir de soulagement et les couilles légères ? Heureux encore s'il ne se croit pas tenu de dire à la bête estoquée : « Alors... heureuse ? » confondant le contentement et le bonheur.

On peut très bien aimer ce style-là... les femmes sont si promptes à s'attendrir ! C'est parfois une surprise piquante. « Non ! Alors celui-là aussi... » Mais d'une manière générale, quel exil !

Si par miracle un jour la censure scolaire, familiale, religieuse et culturelle cessait de reléguer la vie sexuelle et le plaisir dans des domaines inavouables, si l'on pouvait aborder la « fonction érotique » de tout son être avec un appétit légitime et à l'occasion un peu d'humour, quel soulagement soudain pour tous les malades de l'amour, les impuissants, les frigides, les timides, les éjaculateurs précoces, les éjaculateurs parcimonieux et ceux qui ont très peur des femmes et celles qui ont très peur des hommes et tous les autres aussi...

Les livres éroto-pornographiques ont le grave inconvénient d'être tristes, ceux qui sont écrits par des hommes du moins. Ils finissent par impressionner le lecteur à force de cruauté pompeuse et de sérieux. Je te tiens, tu me tiens, par la bistouquette... Le premier de nous deux qui rira...

On rêve de soumettre ces croque-morts à une transfusion de gaillardise rabelaisienne. Mais ils en mourraient peut-être.

Nos enfants au moins, quand ils jouent à touche-pipi, se tordent-ils de rire. Nos auteurs, eux, se prennent au sérieux et préfèrent se tordre de douleur. Ils jugeraient sans doute blasphématoire de s'aborder dans les chemins de la vie avec la joyeuse interjection des Polynésiens : « Que fornique ton pénis ! » à laquelle il est de bon ton de répondre gentiment : « Et que jouisse ton clitoris ! »

CHAPITRE VIII

C'EST ROUGE ET PUIS C'EST AMUSANT

C'EST dur, mais y a pas d'os dedans. Ça bouge tout seul, mais ça n'a pas de muscles. C'est doux et touchant quand ça a fini de jouer, arrogant et obstiné quand ça veut jouer. C'est fragile et capricieux, ça n'obéit pas à son maître, c'est d'une susceptibilité maladive, ça fait la grève sans qu'on sache pourquoi, ça refuse tout service ou ça impose les travaux forcés, ça tombe en panne quand le terrain est délicat et ça repart quand on n'en a plus besoin; ça veut toujours jouer les durs alors que ça pend vers le sol pendant la majeure partie de son existence... Mais, comme disaient les chansonniers de *La Tomate* il y a quelques dizaines d'années : « C'est rouge... et puis c'est amusant ! »

Il paraît que nous aurions adoré avoir un truc comme ça. Il paraît que quand on n'en a pas, c'est bien simple, on n'a RIEN.

Et puis ce n'est pas fini : à côté du machin il y a les machines. Et là c'est nettement pire. Ces objets-là gagneraient évidemment à être dissimulés à l'intérieur. On ne met pas en vitrine une marchandise aussi peu engageante. Si nous avions ce genre de valseuses à la place de nos seins par exemple, j'entends d'ici les plaisanteries, les remarques perfides et les horreurs qu'on débiterait sur le corps féminin ! Où elles sont placées, pauvres minouchettes, on dirait deux crapauds malades tapis sous une branche trop frêle. C'est mou, c'est froid, ni vide ni plein; ça n'a aucune tenue, peu de forme, une couleur malsaine, le contact sépulcral d'un animal cavernicole; enfin c'est parsemé de poils rares et anémiques qui ressemblent aux derniers cheveux d'un chauve. Et il y en a deux !

Vues de dos, le porteur étant à quatre pattes, elles font irrésistiblement penser à un couple de chauves-souris pendues la tête en bas et frémissant au moindre vent, comme on en rencontre par milliers sur les arbres des îles du Pacifique. Un ingénieur qui aurait inventé ce système-là pour entreposer des spermatozoïdes se serait fait mettre à la porte.

Disons-le tout net : votre panoplie, mes chéris, même si vous ennoblissez la pièce maîtresse du titre de phallus, ne forme pas un ensemble extraordinaire. Toutes celles qui l'ont découvert sans éducation préalable, le soir de leurs noces par exemple, ont d'abord été horrifiées. Les religions qui en ont fait un symbole à adorer ont été amenées à le styliser sérieusement. Et pourtant nous l'aimons, cette trinité, avec humour parce qu'elle est objectivement laide, avec amour parce qu'elle est subjectivement émouvante. Mais qu'on ne nous empoisonne plus avec cette prétendue envie de pénis, qu'on ne nous définisse plus, au physique et au moral, par rapport au pénis et qu'on nous soulage de tous ces psychanalystes et sexanalystes qui s'acharnent à réanimer nos vieux conflits au lieu de nous apprendre à nous aimer nous-mêmes, ce qui est une condition essentielle pour aimer l'autre. Sinon, nous allons le prendre en grippe, l'objet, comme certaines ont commencé à le faire. Ce serait dommage pour tout le monde.

Nous avons chacun nos jouets et ils sont faits pour aller ensemble. Quelle merveille ! L'un sans l'autre a l'air idiot. Quelle plus jolie preuve qu'ils sont faits pour aller l'un dans l'autre ? Tout le reste n'est que compensation, bricolage et pis-aller. Bien sûr, le zizi peut servir également à faire pipi debout. Viser, c'est amusant. Mais enfin, sérieusement, peut-on penser que les modalités de la miction influent sur le psychisme ? Pour d'autres besoins aussi peu passionnants l'homme s'assied comme nous, sans en tirer de conclusions métaphysiques.

La vérité, c'est que cette soi-disant supériorité du joujou masculin est le résultat d'un matraquage publicitaire entrepris depuis des millénaires en faveur de l'organe mâle. Matraquage si réussi qu'une de mes amies à qui j'ai mis un jour un crapaud dans la main en lui demandant si ça ne lui rappelait pas quelqu'un, s'est tout d'abord récriée comme si je blasphémais.

« Ne me dis pas que tu n'avais jamais fait le rapprochement ?

— Je n'aurais jamais osé y penser de cette façon, m'a-t-elle avoué... Par déférence ! »

Tout comme les promoteurs d'une lessive, les concepteurs de la promotion du pénis se sont battu les flancs depuis toujours pour prouver la supériorité de leur marchandise et, comme tout bon publiciste, ils n'ont pas hésité à proférer des absurdités. C'est thermovariable... Ça nettoie tout comme une tornade blanche... Ça, c'est du meuble... Je suis le bonhomme en bois... C'est Shell que j'aime... Homo lave plus blanc... Tous ces slogans avaient déjà servi. Il parut plus simple, au lieu de célébrer leur appareil génital en tant que tel (au nom de quels critères ? esthétiques ? moraux ?), de dénigrer l'appareil de l'autre. Alors que ce phare de l'humanité qu'était le phallus a été glorifié, chanté et statufié, son organe complémentaire non seulement n'a pas été décrit pendant des siècles, mais s'est heurté aux tabous, au dégoût ou à une vertueuse ignorance, interdits si puissants qu'aucun sculpteur dans notre civilisation jusqu'à ces derniers siècles, n'a esquissé même une fente simplette au bas des ventres féminins. Léonard de Vinci lui-même, qui inaugura la tradition du dessin anatomique artistique, dessina des « vulves criantes d'inexactitude » (Zwang). Pour la médecine arabe classique, le sexe féminin n'avait tout simplement pas de « configuration descriptible ».

L'organe étant condamné, sa fonction fut, elle aussi, discréditée. Toutes les indignités que la femme a subies durant son histoire furent la conséquence de cet ostracisme qui a frappé la sexualité féminine au départ. La « faute » d'Eve — on ne pouvait remonter plus haut — ou celle de Pandore qui incarne le même mythe de la nuisance féminine, toutes leurs descendantes ont dû l'assumer et l'expier du seul fait qu'elles naissaient femmes. Privées d'organes convenables et d'une jouissance légitime, il ne leur restait qu'à adorer et à désirer cette huitième merveille du monde, le BON organe sexuel. Et puisqu'elles l'enviaient, c'est qu'il était effectivement supérieur. La boucle était bouclée et la promotion réussie.

Le masochisme féminin avait été affirmé par bon papa Sade, l'envie de pénis fut institutionnalisée par bon papa Freud, nos deux terribles grands-pères. On peut admirer Freud et remarquer néanmoins qu'il a dit sur les femmes des conneries et j'insiste sur ce mot car précisément toute son œuvre s'emploie à démontrer que l'absence de pénis, c'est con ! La féminité étant sommairement définie comme une non-masculinité, toutes les femmes selon Freud vivent en négatif : la maternité n'est qu'un substitut du pénis, on l'a vu. C'est « l'envie de pénis qui pousse les femmes à cultiver leurs charmes, compensation tardive à leur infériorité sexuelle initiale ». La seule invention dont il leur reconnaît la « paternité » (encore un mot qui en dit long), c'est l'art de tisser et de filer, mais elles ne l'ont fait que pour cacher leur « déficience génitale ». Trouvaille ingénieuse ! Enfin, « la femme manque de sens moral et a à peine le sentiment de la justice ce qui *est sans aucun doute* en relation avec la prépondérance du désir de pénis dans sa vie mentale ». Dans toute cette affaire, l'obsédé de pénis, n'est-ce pas Freud ?

Cette théorie, dont on comprend aisément qu'elle ait pu être dévastatrice pour la personnalité féminine, a survécu à bien des études modernes qui en démontrent la fausseté. Il est reconnu aujourd'hui qu'on « n'observe nulle part chez les filles le désir de posséder un pénis » (Lederer), désir trop longtemps confondu avec celui d'acquérir les avantages réservés aux possesseurs de pénis. Au contraire, la plupart des garçons examinés manifestaient un sentiment de frustration devant la maternité. Sentiment très ancien puisque la plupart des cycles d'initiation virile d'Afrique noire font renaître le garçon, pour nier symboliquement sa mise au monde par une femme. Les dieux eux-mêmes ont cherché à égaler la mère : Zeus fait sortir Athéna de son crâne pour embêter sa femme, et Dionysos de sa hanche. Groddeck a très bien exprimé cette vieille rancune : « La jalousie de ne pas devenir mères... Il n'y a pas qu'à moi que ça arrive, tous les hommes en sont là... et la seule étrangeté qu'on relève dans l'idée qu'un homme puisse désirer mettre un enfant au monde, c'est qu'on le nie avec autant d'entêtement. »

Malheureusement, les séquelles de ce phallocentrisme obstiné ont entraîné une surévaluation de la virilité dont les glorieux phallus sont les premières victimes aujourd'hui. Car la plupart des femmes ont perdu leur sentiment d'indignité sexuelle, sans que les hommes aient pu pour autant devenir... plus supérieurs. Il s'en est suivi une modification du rapport des forces qui laisse l'homme inquiet et désemparé. Dominer facilement et baiser puissamment une femelle sans exigences et sans esprit critique lui a si bien été inculqué comme l'A.B.C. de son rôle masculin, que son honneur s'effondre et que sa sécurité fout le camp si cette femelle se met à dire : « Je ne jouis pas, Jérôme, fais quelque chose. »

Comme le musulman qui a tant voulu s'assurer la possession exclusive des femmes qu'il ne possède plus rien qui vaille, le mâle occidental a tant investi de sa virilité dans sa fonction érotique que c'est Waterloo s'il ne parvient pas à se présenter devant le sexe féminin sabre au clair. Cette idée misérable qu'un homme, chaque fois qu'il ne bande pas, n'est plus un homme, suffit à empoisonner sa vie et la nôtre. « Il faut avoir vu de près, un jour, un homme que cette pensée traverse, pour sentir tout le malheur stupide de l'homme. Comment ne pas souhaiter un monde où l'on pourrait vouloir faire l'économie aussi de ce malheur-là ? » (A. Leclerc.)

Le mâle de l'espèce humaine n'est pas, comme le singe, un distributeur d'orgasmes à gogo ? Et après ? L'amour c'est aussi autre chose que l'amour. C'est la complicité, c'est la compréhension, c'est cet état d'amitié amoureuse où l'on mesure ce qu'il y a de miraculeux et de précieux dans le désir et ce qui sépare justement le pénis du godemiché imbécile, toujours prêt comme un scout... Il faut faire taire les réflexes désolants qui datent des temps patriarcaux, selon lesquels la « honte » de l'homme implique l'humiliation pour la femme. Il se croit inférieur... elle se juge dédaignée. Pensées aussi fausses que nuisibles qui entretiennent cette insécurité masculine devant la performance toujours attendue, toujours à recommencer, et cette exigence féminine odieuse dans un domaine où ELLE peut tout feindre et où LUI ne peut rien cacher. La caricature de l'épouse américaine, exigeant du mari son vison et ses orgasmes pour se considérer comme une vraie femme, est la plus triste déformation du couple moderne. Frigide et en manteau de lapin synthétique on est tout de même un être humain et le reste viendra par surcroît si on sait bien le chercher.

Malheureusement les femmes ont découvert si récemment qu'elles aussi avaient le *droit* de jouir, qu'elles ont parfois tendance à considérer que le *devoir* de l'homme est de leur assurer un pourcentage défini de plaisir. Elles réclament un S.M.I.C. du sexe, oubliant que le plaisir n'est pas un dû mais un cadeau, que l'accord charnel relève plus souvent d'un miracle que d'une recette; enfin que l'amour partagé ne conduit pas immanquablement à l'orgasme simultané que trop de sexologues présentent comme un produit de consommation courante, illusion propre à provoquer d'amères frustrations.

Mais les femmes ne sont pas les seules responsables : de leur côté les hommes s'obstinent à entretenir cette inflation de leur puissance virile par une vaste et lancinante littérature, par le cinéma, l'érotisme et le culte monotone du héros, shérif, cow-boy, gangster ou conquérant, cherchant toujours qui dominer et quoi soumettre, négligeant les gémissements des faibles, les raisonnements des intellectuels et les supplications des amoureuses. La télévision a encore aggravé ce battage autour du *vrai homme*, indigeste personnage débité au mètre dans les milliers de westerns qu'on nous jette en pâture et que contrebalance si rarement le portrait d'un *homme vrai*. Les femmes n'ont pas d'existence dans ces sagas, n'apparaissant que dans les entractes de l'action violente, dans leurs trois rôles classiques : la pute, la jeune fille pure ou la mère. Pas de mélange et pas de nuances : la jeune fille pure n'est destinée qu'à être épousée, la pute, même au grand cœur, ne devient jamais une mère, elle meurt pute. Et la mère est là pour admirer, servir et souffrir. Mais souffre-t-on quand c'est un dieu qu'on sert ? Le héros, lui, que tous respectent sauf les salauds, vit, tue et meurt en seigneur. Ses filles rêvent d'en épouser un comme ça et les meilleurs de ses fils sont déjà des tueurs en herbe malgré leurs taches de rousseur.

Côté vie quotidienne, il faut bien remplacer dans nos pays les grands espaces et les bagarres héroïques par toutes sortes de comportements destinés, comme chez le chien qui marque son territoire, à délimiter le nôtre. Faute de fusil ou de lasso, on se contente de vantardises de Café du Commerce (qui ont l'inconvénient d'accréditer un niveau de performances sexuelles ridiculement élevé) et de grossièretés de corps de garde, car l'obscénité est elle aussi une forme de violence, mais facile et sans danger. Le camionneur qui insulte en rigolant une femme au volant, ou le terrassier qui adresse une plaisanterie obscène à la dame du XVIe qui longe son chantier affirment leur domination sur elles en tant que mâles, quelle que soit la différence des classes. En tant qu'objet sexuel, une femme peut toujours être inférieure au dernier des hommes. Et il ne se prive pas de le lui rappeler.

C'est vrai qu'une femme commence à pouvoir circuler seule dans une paix relative, à sortir le soir, à voyager. Mais elle éprouve encore une insécurité latente dont les hommes imaginent mal à quel point elle nous contraint.

Combien de femmes ont passé des vacances infernales en Italie ? Qui n'a pas changé 5 fois de place dans telle salle de cinéma, du côté de Saint-Lazarre par exemple, pour finalement renoncer à ce genre de sortie ? Avant les clubs et les voyages organisés, quelle femme seule pouvait imaginer de partir à Bangkok, à Tahiti ou visiter l'Algérie ? La nuit et l'espace extérieur appartiennent aux hommes et nous commençons seulement à y être tolérées.

Comme la peur qu'on inspire ou l'obscénité, la vitesse est aussi une manière de s'imposer [1]. L'automo-

1. François de Closets, dans *Le Bonheur en plus* a consacré des pages très lucides à ce problème de la conduite « virile » dans différents pays.

bile devient un appendice viril comme le colt de John Wayne et il faut la conduire comme on fait l'amour, brutalement. Ceux qui se sentent humiliés de freiner aujourd'hui sont les mêmes qui se seraient sentis diminués hier de s'attarder au plaisir féminin. On est un homme, que diable ! Les Méditerranéens, si maladivement soucieux de ce qu'ils croient être leur virilité, affectent très souvent une manière de conduire qui trahit bien autre chose que le simple goût de la vitesse. Et combien d'épouses ont serré les fesses toute leur vie au côté de leur mâle au volant, hargneux comme un roquet, qui sourit de leurs craintes et ne ralentirait pour rien au monde. On n'est pas des femmes, que diable !

Le jour où les hommes renonceront à ces fanfaronnades qui débouchent toujours sur le même rapport falsifié, le jour où les femmes sauront les délivrer de leur responsabilité sexuelle, le jour où ils brûleront ensemble le mythe imbécile du pénis et son corollaire encore plus bête, l'absence de pénis, pour se retrouver dans la complicité naturelle de leurs organes, dans la tendresse et dans l'estime, la vraie révolution aura commencé.

Elle a d'ailleurs commencé. On s'aime mieux aujourd'hui qu'hier, on commence à savoir rire ensemble, à se faire du mal ensemble. Mais qu'est-ce qu'il reste encore à trimbaler ! Comme dit Marguerite Duras : « Faut attendre que ça se passe. Il faut attendre que des générations entières d'hommes disparaissent [1]... »

Eh bien, on attendra.

1. *Les Parleuses*, M. Duras et Xavière Gauthier, Le Seuil.

CHAPITRE IX

UN PROBLÈME DE ROBINET

« TEL est le misogyne : une des composantes de sa haine est une attirance profonde et sexuelle pour les femmes... C'est d'abord une curiosité fascinée pour le mal. Mais surtout, je crois, elle ressortit au sadisme. On ne comprendra rien en effet à la misogynie si l'on ne se rappelle que la femme est parfaitement innocente, je dirai même inoffensive. »

Ce texte est de Jean-Paul Sartre... ou presque. Il est tiré des *Réflexions sur la question juive*. Si l'on s'amuse à remplacer le mot « antisémite » par le mot « misogyne » et celui de « Juif » par « femme », il apparaît soudain avec une évidence fulgurante que la misogynie n'est rien d'autre qu'un racisme, le plus universel, le plus profond et le plus facile des racismes, le plus honorable aussi et le plus facile à exercer, encore beaucoup plus facile que le fut l'antisémitisme pendant tant de siècles. On peut ainsi lire tout le livre de Sartre au féminin, ce qui placera dans une lumière étonnamment neuve et révélatrice des comportements que nous avons tendance à croire individuels et localisés, sous prétexte qu'ils s'exercent le plus souvent à l'intérieur d'un couple, marié ou non :

« Le misogyne a soin de nous parler d'associations féminines secrètes (cf. le M.L.A.C., le M.L.F.), de franc-maçonneries redoutables... Mais s'il rencontre une femme face à face, il s'agit la plupart du temps d'un être faible et qui, mal préparé à la violence, ne parvient même pas à se défendre. Cette faiblesse individuelle de la femme qui la livre pieds et poings liés... le misogyne ne l'ignore pas et même il s'en délecte à l'avance !... Puisque pour lui le mal s'incarne dans ces femmes désarmées et si peu redoutables, celui-ci ne se trouve pas dans la pénible obligation d'être héroïque. Il est amusant d'être misogyne ! On peut battre et torturer les femmes sans crainte : tout au plus en appelleront-elles aux lois de la république. Mais les lois sont si douces... »

Pour le misogyne (comme pour l'antisémite), ce qui fait la femme, ce n'est pas telle ou telle conduite, c'est la présence en elle de la féminitude (analogue à la « juivitude »), principe indéfinissable semblable au phlogistique ou à la vertu dormitive du pavot ! A travers l'antisémitisme distingué qui a longtemps régné en France, Sartre décrit parfaitement cette attitude qu'on croit bénigne, la misogynie de salon, qui passe en général pour une manifestation d'esprit et que professent tant d' « hommes du monde » charmants, charmeurs, de ceux qui n'omettraient jamais de s'effacer pour laisser passer une femme.

« Purs reflets, roseaux agités par le vent, ils n'auraient pas inventé la misogynie si le misogyne conscient n'existait pas. Mais ce sont eux qui, en toute indifférence, assurent la permanence de la misogynie et la relève des générations. »

Je voudrais à cette occasion, grâce à Sartre, fournir une réponse aux malheureuses qui restent sans voix devant l'argument final assené par le misogyne de salon pour nous prouver que notre infériorité est congénitale : « Citez-moi donc un Beethoven femelle ? Un Descartes ou un Picasso femme ? » Et le dernier des minus de nous regarder, triomphant, comme si ces génies étaient de sa famille et que leur gloire rejaillît tout naturellement sur lui par le seul fait qu'il possède lui aussi une robinetterie apparente !

« Il faut le reconnaître, écrit Sartre, si le juif se retourne vers le passé, il voit que sa race n'y a pas de part. Ni les rois de France, ni leurs ministres, ni les grands capitaines, ni les grands seigneurs, ni les artistes, ni les savants ne furent des juifs... La raison en est simple : Jusqu'au XIXe siècle, les juifs, comme les femmes, étaient en tutelle. »

Cette fois c'est Sartre lui-même qui fait le rapprochement. On pourrait remarquer de même qu'on ne trouve pas beaucoup de savants ou de ministres dans la classe ouvrière... L'explosion à laquelle on a assisté depuis le XIXe, Disraeli, Freud, Bergson, Einstein, Proust ou Kafka, suffit à démontrer que dès que les Juifs ont pu accéder à l'enseignement supérieur et à un certain stade de liberté, ils sont eux aussi devenus des créateurs. Pour les femmes, il faudrait simplement corriger deux notions : d'une part la tutelle sur elles ne s'est relâchée qu'au XXe, et d'autre part, leurs fonctions maternelles, tant qu'elles y sont restées aveuglément soumises, les empêchaient de parvenir à ce seuil de liberté.

le génie artistique est un luxe, même s'il s'ac-
agne de misère matérielle, le luxe de la disponi-
de l'esprit et du cœur. Abandonner pour toujours sa famille comme Gauguin, vivre en pestiféré comme Van Gogh, en hors-la-loi comme tant d'autres, n'est pas encore à la portée des femmes : on les considérerait non comme des artistes mais comme des folles ou des criminelles. La liberté qu'exige l'épanouissement du génie inclut la cruauté, l'égoïsme, l'acceptation de l'insécurité, le suicide social, toutes choses encore inadmissibles chez une femme.

L'histoire nous prouve qu'on n'extirpera pas plus le sexisme que le racisme. Il faut donc trouver une autre méthode. Dans les ex-colonies d'Afrique par exemple, les Noirs n'ont pas réussi à rendre les Blancs moins racistes, ils se sont tout simplement soustraits à leur pouvoir. De la même façon, il ne faut plus que les femmes entrent dans le jeu des hommes. Il faut leur enlever le pouvoir de nuire puisqu'il est reconnu que huit personnes sur dix, quand elles détiennent ce pouvoir, en abusent. Cela n'empêchera ni le misogyne conscient de tonner, ni le misogyne de salon de susurrer; mais ils le feront dans le vide, un vide par notre absence. A qui s'adresseront leurs discours paternalistes si nous ne sommes plus des enfants, si nous refusons d'entrer même par amour — surtout par amour — dans le rôle d'une poupée articulée qui dit merci et je t'aime, rôle qui mène tout droit, la quarantaine passée, à celui de martyre ou de mégère, si, grâce à la contraception, la plus grande révolution de tous les temps pour les femmes, nous ne sommes plus des mécaniques qui fournissent des enfants quand l'usager met ce qu'il faut dans la machine, si nous prenons nous-mêmes la direction de nos existences ? Car ce qui opprime les femmes, ce n'est pas seulement le système masculin, c'est la réponse féminine, c'est ce qu'il a réussi à faire de nous. C'est ce sentiment d'incompétence et de faiblesse qu'il a réussi à nous donner, doublé de culpabilité si nous nous dérobons au rôle qu'il nous assigne et que nous devons accepter avec enthousiasme. Car là est la malignité, le détail subsidiaire qui, comme dans les concours radiophoniques truqués, vient tout remettre en question : il faut que nous soyons ravies d'être vouées à des fonctions dites sublimes, mais que les hommes se refusent à exercer. Or, les hommes s'étant attribué par définition les fonctions dites supérieures, comment ne pas conclure que les nôtres sont subalternes, « ennuyeuses et faciles » (Valéry), « inintéressantes et abêtissantes » (Lénine), en un mot inférieures[1] ?

Comment, alors que le métier de « bonne à tout faire » est considéré comme le dernier des métiers, les femmes admettraient-elles que pour elles le même travail devienne une admirable vocation ?

Elever un enfant, s'occuper d'un mari, c'est un élan du cœur, ce n'est pas une profession, répondent les chattemites. Mais peindre ou soigner ses semblables peut représenter aussi un élan du cœur et pourtant les peintres ou les médecins reçoivent une rémunération pour ce travail, bien qu'il leur plaise. A vrai dire, on adore le bénévolat pour les femmes et c'est pourquoi le métier de mère au foyer est le seul qu'on refuse d'évaluer en termes économiques. Fournissant à

1. Quand un homme consent à faire la cuisine ou à servir, il s'intitule *Maître* d'hôtel ou *Chef* de cuisine et exige d'être payé deux fois plus que la femme de chambre ou la cuisinière !

la collectivité une contribution considérable en élevant leurs très jeunes enfants, les mères (malgré quelques discours émus et une allocation de salaire unique dérisoire), restent ignorées quand elles travaillent à la maison et pénalisées quand elles travaillent au-dehors (frais de garde élevés, insuffisance de crèches). Il faut qu'elles parviennent à échapper à cette dévalorisation de tout ce qui est féminin. Dévalorisation si profondément ressentie et si destructrice que c'est elle qui donne souvent aux « mères au foyer » ce ton aigri ou revendicateur en face des femmes qui travaillent, option *supérieure* puisque masculine, alors qu'elles devraient pouvoir dire très simplement : « J'ai choisi pour *métier* d'élever mes enfants car c'est mon goût ou ma vocation à moi. » Et il faut qu'elles s'en persuadent : on n'est pas meilleure femme avec dix-huit enfants qu'un seul ou même pas du tout; on est une *autre* femme. Et on n'est pas davantage femme en consacrant sa vie à un paralysé de guerre qu'en montant pour gagner sa vie un commerce de prêt à porter ou une boîte de nuit. On est une autre femme. Il ne faut pas nous laisser escroquer. Tous les hommes n'ont pas à être des Mermoz ou des Charles de Foucauld. Les femmes non plus.

Barrès enseignait en 1897, avec le cynisme que l'on affichait à l'époque, que la « première condition de la paix sociale est que les pauvres aient le sentiment de leur impuissance ». La première condition de la paix domestique a été elle aussi que les femmes aient ce sentiment. Mais toutes les conditions sont réunies aujourd'hui pour qu'elles s'en délivrent. La difficulté est qu'il faudrait commencer au berceau, dès le premier biberon ! Cela dépend de chaque mère.

Un terrible petit livre vient de paraître aux éditions des Femmes justement [1], un joli petit livre traduit de l'italien et dont la couverture s'orne de trois petites filles modèles en robe rose, jouant aux grâces dans un parc de la Bibliothèque rose. Gracieuses et insignifiantes, ayant déjà sur les lèvres le sourire féminin de rigueur, elles se livrent à leurs jeux idiots avec une satisfaction qui fait peine à voir. Et pourtant au départ, ces petites filles étaient nées inventives elles aussi, spontanées, débordantes de vie et de curiosité pour le monde. Leur extinction ne s'est d'ailleurs pas faite d'un seul coup : « A un peu plus d'un an, en dépit des pressions éducatives différenciées auxquelles les nourrissons ont été soumis, il est encore difficile de classer les garçons et les filles selon leur comportement, tant ils *se ressemblent*, tant ils *aiment, choisissent* et *font les mêmes choses*... En fait, il se présente souvent des différences de comportement plus marquées entre enfants du même sexe qu'entre enfants de sexes différents. »

Ces « pressions éducatives différenciées » ont été étudiées. Elles vous étonneront : dans un échantillonnage de mères d'enfants des deux sexes, 34 p.100 des mères qui alléguaient des raisons pour ne pas nourrir leur bébé étaient des mères de filles. 99 p.100 des mères de garçons acceptaient de le nourrir. La durée de la tétée était régulièrement plus longue pour les garçons : à l'âge de deux mois, quarante-cinq minutes, contre vingt-cinq minutes pour les filles (dont on ne veut pas encourager le côté goulu, considéré comme peu féminin). Enfin, en règle générale, les filles étaient

1. *Du côté des petites filles* par Elena Gianini Belotti.

sevrées plus tôt [1]. Or c'est précisément dans cette « disponibilité du corps maternel à l'égard de l'enfant que naît la confiance et l'estime de soi, souvent si rares chez les filles et si excessives chez les garçons ».

A l'âge de l'école, le processus va s'accélérer : du fait de ce conditionnement précoce et instinctif dans la famille, puis à la maternelle, on peut dire « qu'à cinq ans tout est joué et que l'adéquation aux stéréotypes masculin et féminin est déjà réalisée : le garçon agressif, actif et dominateur est déjà modelé. Il en va de même pour la fille, soumise, passive et dominée ». La conclusion est simple et nue : « Chez les petites filles de six ans, à l'âge de l'entrée à l'école primaire, la créativité est définitivement éteinte. »

Et ce ne sont pas les jeux ou les livres que l'on donne ensuite aux filles et aux garçons qui vont modifier ces caractères acquis. Les rayons de jouets d'un grand magasin à Noël sont sous ce rapport édifiants : on dirait un stock de données déjà classées pour entrer dans un ordinateur. Pour qu'une fille sorte de la machine à éduquer, il faut mettre des dînettes, des aspirateurs miniatures, des berceaux, des poupées, des panoplies de maquillage, d'infirmière ou de ménagère. Pour qu'un garçon sorte, il faut choisir au contraire tout ce qui encourage l'initiative et l'intelligence, des panoplies de chef indien, de Zorro ou d'astronaute.

Il est de même « sorti » un nouveau jouet en 1974 : un joli W.C. miniature, avec le réservoir, la chaîne, le petit balai à m... et le distributeur de papier hygiénique ! Je vous laisse deviner à quel sexe ce « jouet »

1. *Psychopédagogie du premier âge*, par Irène Lézine aux P.U.F. et *Propos sur le jeune enfant*, Delarge, Editions Universitaires.

s'adresse... Je ne peux pas croire que si Freud se promenait aujourd'hui au rayon fillettes des Galeries Lafayette, il ne tomberait pas d'accord avec Simone de Beauvoir pour reconnaître qu'on ne naît pas femme, mais qu'on le devient. De gré ou de force.

La littérature enfantine vient parfaire le travail : chaque fois que l'on y présente une femme qui n'est pas totalement passive et irresponsable, c'est une sorcière ou une ogresse. Les héroïnes proposées à l'admiration des petites filles, de Cendrillon à Blanche-Neige, sont toutes des gourdes, sans courage ni dignité, dont l'unique but dans la vie est d'attendre un prince qui leur apportera « tout ce qu'une femme peut espérer de la vie ». Connaissant le pouvoir de suggestion émotive des personnages donnés en pâture à l'imagination des jeunes, il est désespérant de ne trouver comme modèles féminins que la dévouée Florence Nightingale, la triste Pénélope ou la mère des Gracques.

Toutes les mères de filles devraient lire le petit livre d'Elena Belotti. On s'y reconnaît avec stupeur, avec incrédulité, parfois avec honte et on les reconnaît aussi, toutes nos petites filles modèles, nos petites filles modelées, si tendrement, mais peut-être aussi si mal aimées.

J'ai moi-même eu trois filles. Mais quand je le dis, j'ai l'impression idiote d'en avoir fait moins que si je pouvais répondre : « J'ai trois garçons. » Pour trois garçons, on vous dit Aah, d'un air admiratif. Pour trois filles, ou pire pour quatre ou cinq, on vous regarde en hochant la tête : « Ah ? C'est dommage... » Et pourtant, j'aime les filles. Et pourtant, je suis féministe et convaincue de l'égalité des sexes.

Alors ?

Alors elles ont raison bien sûr les féministes radicales. Shulamith Firestone a raison de faire des propositions utopiques et de penser que seule une révolution des structures changera la condition féminine. Kate Millett a raison de penser que les femmes, groupe qui par le nombre et la durée de son oppression forme la base révolutionnaire la plus vaste de notre société, réussiront peut-être, si elles s'unissent, à arracher la moitié de l'espèce à sa subordination millénaire et — ce faisant — à améliorer l'espèce tout entière. Marcuse a raison de dire que l'émancipation féminine est un « facteur décisif dans la construction d'une vie qualitativement meilleure ». Germaine Greer a raison d'estimer que la perversion masculine de la violence est le facteur fondamental de la dégradation des rapports humains et que si les militaires étaient assurés d'être exclus du lit des femmes, la guerre aurait moins de prestige; que le jour où les femmes cesseront d'aimer les vainqueurs d'affrontements violents, d'assister aux combats de boxe ou de catch, ce serait le début d'une nouvelle vie. Toutes elles ont raison de penser que le monde ne changera pas si bon nombre de femmes n'acceptent pas individuellement de passer pour des réprouvées, des excentriques, des perverties. « Celles qui s'imaginent encore manœuvrer le monde par la rouerie et la cajolerie sont des imbéciles : ce sont des tactiques d'esclave. » C'est vrai enfin que la structure familiale est la source de l'oppression psychologique. C'est vrai dans les manuels.

Mais dans la vie ? Comment empêcher que le jeune mâle poussé par un instinct millénaire, gonflant le jabot en guise de parade sexuelle, s'approche de la jeune femelle attirée par un instinct millénaire et ornée de plumes, pour perdre tout esprit critique et lui faire perdre toute prudence, de telle sorte qu'ils tomberont tous les deux la tête la première, à moins que ce ne soit le sexe le premier, dans le piège velouté du mariage, dont ils pensent à chaque fois que pour eux tout sera différent...

Bien sûr, le mariage est responsable de tous les maux... mais finalement « il n'est ni plus ni moins malheureux que la vie même » (Johnson). On ne sortira pas de cette évidence-là. Il faudrait changer les structures, d'accord. Mais d'abord les êtres. Alors les structures se transformeront d'elles-mêmes. La révolution n'est supportable que pour les âmes fortes.

Mais ces âmes fortes, nous en avons besoin. Ce n'est pas à coups de majorité silencieuse, ni même à force de vertu que les sociétés ont progressé vers plus de justice. Sinon l'insondable océan de vertus et d'amour déversé par les femmes aurait depuis longtemps transformé la terre en paradis. Les combattantes, les théoriciennes ou les révoltées jouent un rôle plus important qu'on ne croit, ne serait-ce qu'en prouvant que les femmes aussi peuvent se montrer folles, violentes, absolues, désintéressées, comme les insoumis du monde entier, elles qui sont restées si longtemps assises au foyer, souriantes sous leurs chaînes et feignant de les trouver légères. Ce sont elles qui permettent aux autres de ne pas choisir les chemins de la violence sans pour cela être taxées de passivité, de lâcheté, de masochisme. Leur douceur devient alors un acte positif, à condition qu'elles la présentent comme telle, comme un choix.

Elles ont aussi le mérite, ces militantes, de contrebalancer l'important contingent de femmes-objets qui subsiste encore et qu'on ne fera jamais disparaître tout à fait, ce stock de nanas dociles, de pépées, de nénettes, ravissement de tant d'hommes, variété couvée et portée au pinacle par toute une presse spécialisée, utilisées parce qu'elles font vendre du papier, ou bien pour combler les vides de l'image dans certaines émissions télévisées. « Vous m'en mettrez 3 mètres carrés, du panaché blond et brun... » Ça n'a pas le droit d'ouvrir la bouche sauf pour sourire, c'est simplement déposé çà et là entre les vraies personnes, petits tas de féminité anonyme. Imagine-t-on un seul instant l'inverse ? L'émission *Aujourd'hui Madame* se déroulant dans un espace peuplé d'éphèbes... Quel ennui ! Quel ridicule ! Sans doute sommes-nous plus civilisées...

Ce goût pour la femme-objet, il faut le reconnaître sous son déguisement galant : ce n'est qu'une forme de plus de la misogynie, maladie vieille comme le monde, tenace comme la peste et qui a pollué tant de comportements humains. Est misogyne aussi le monsieur qui dit à ses voisines dans un dîner : « Excusez-nous, nous allons être obligés de parler de choses sérieuses. » Est misogyne celui qui « vénère » sa mère, celui que la pilule rend impuissant, celui qui exalte la Femme, ce qui lui permet de rabaisser sa femme, celui qui croit à l'instinct féminin, celui qui prétend que les femmes adorent être prises à la hussarde, celui qui leur parle des lois de l'espèce quand elles ont des ennuis, celui qui dit à son épouse : « Tiens, je vais TE descendre TES poubelles » et d'une manière générale tous ceux qui commencent une phrase par : « Vous, les femmes... » ou « Nous, les hommes... »

Ils se faneront d'eux-mêmes, tous nos chers vieux miso, le jour où nos filles — pour les femmes de ma génération il est un peu tard — n'auront plus peur d'eux, le jour où ils ne seront plus anxieux de jouer le rôle du mâle, mais éblouis de renconter leur semblable, et pourtant différente, et de trouver dans cette merveilleuse différence toutes les magies de la vie.

Dans de trop nombreux pays où règne encore le dogmatisme politique, religieux ou phallique, les hommes et les femmes restent soumis à des modèles rigides, qui excluent sans doute l'angoisse et le doute, mais aussi la plus belle aventure humaine : l'épanouissement de toutes les facultés d'un être.

Mais dans nos pays, l'aventure vient de commencer, non sans résistances. Elle n'est pas sans rapports d'ailleurs avec cette autre aventure qu'ont vécue, que vivent, les parents des jeunes générations d'aujourd'hui : Comme les maris subitement confrontés à des femmes nouvelles, les parents se sont retrouvés devant une progéniture qui ne correspondait plus du tout aux rassurantes définitions du passé. La bonne volonté, l'effort de compréhension, ou du moins d'acceptation, l'amour que beaucoup de parents se sont efforcés d'offrir sans contrepartie à des garçons ou à des filles qui piétinaient pratiquement tout ce qui avait fondé et motivé leurs vies à eux, est un des spectacles les plus émouvants et les plus positifs qu'offre actuellement notre société.

Les maris ou les compagnons des femmes nouvelles sauront-ils se montrer aussi désintéressés que ces parents ? Aussi humbles et compréhensifs devant ce phénomène qui sera parfois excessif lui aussi, ou douloureux à vivre comme tout changement qui affecte les structures intimes ?

L'avenir de la relation homme-femme, en cette occurrence difficile, dépend de la tendresse de l'une et de l'acceptation de l'autre. Les raisonnements qui fondaient « scientifiquement » l'infériorité féminine se sont effondrés; les arguments de moralité se sont révélés ce qu'ils sont : un moyen de coercition; les fanfaronnades viriles ne sont plus désormais qu'une survivance d'attitudes rituelles, vides de sens. Mais beaucoup se battent encore, bêtement, pour l'honneur ! Pourtant le jour n'est plus éloigné où ils accepteront de ramener leur fameuse supériorité phallique à ce qu'elle est : un problème de robinet et de se laisser persuader que l'instinct profond des êtres humains n'est pas de dominer, mais de se faire plaisir.

CHAPITRE X

MA FEMME AU SEXE DE GLAIEUL...

(André Breton.)

Je n'ai pas envie de conclure. Surtout par un verdict. Ce livre n'était pas un procès ou alors c'est celui des Hommes et non des hommes. Nées avec la force physique dans un monde où le hasard aurait fait supporter aux mâles les servitudes de l'espèce, qui peut jurer que nous ne nous serions pas conduites comme eux ?

Une évidence s'impose : il ne faut plus priver l'humanité de cette moitié d'elle-même, celle qui précisément a maintenu et vécu les valeurs de vie à travers la violence, l'oppression, l'égoïsme et la haine qui ont marqué l'histoire de tous les peuples et leur propre histoire. Quand on voit comment des hommes ont traité d'autres hommes, comment s'étonner de la façon dont ils ont traité les femmes ?

Il faudrait que nous puissions dire ensemble : c'est fini, cette oppression-là au moins est révolue. Mais tout est dans cette condition : ensemble. Or la solidarité est une notion neuve pour les femmes, si longtemps sorties de la maison d'un père pour entrer dans celle d'un mari, contraintes à ne connaître d'autre forme d'absolu que la passion amoureuse, d'autre forme de grandeur que le dévouement.

Pourtant, contrairement à ce que laissent croire les apparences, contrairement à ce qu'elles-mêmes pensent souvent, les femmes sont plus proches les unes des autres qu'un homme ne l'est d'un autre homme. Soraya est plus près d'Arlette Laguiller que Giscard n'est le frère d'un O.S. du Mans. Car, dorée ou misérable, c'est la même dépersonnalisation qu'elles ont subie, c'est le même système qu'elles représentent. En bas, servante du foyer, en haut, poupée de luxe, ou pire, reproductrice officielle, elles ont dans les deux cas été privées de ce qui caractérise l'humain, la faculté de ne pas vivre comme une femelle animale, le don merveilleux de participer au monde, la possibilité de se faire confiance et de se réaliser. C'est pourquoi l'existence d'une femme, à mesure que passent les années et que diminuent les marques d'adulation qu'elle avait pu prendre comme un hommage à sa valeur personnelle, se met souvent à ressembler à celle des schizophrènes, morcelée en une suite de journées identiques qui ne débouchent ni sur l'avenir, ni sur un espoir, ni sur la simple certitude d'appartenir au monde et de se sentir concernée par lui. Elle y perd parfois jusqu'au sentiment de son identité et le suicide de telle épouse d'armateur grec, c'est finalement le suicide d'une midinette.

Aujourd'hui, un phénomène neuf est apparu : des femmes se battent et des femmes se rencontrent. Non plus pour garder ensemble leurs enfants ou s'avouer leurs difficultés conjugales, mais pour réfléchir, pour discuter, pour imaginer. Et c'est pour elles — de là vient la force des mouvements féministes d'ailleurs — la découverte de la fraternité. Passé les amitiés d'école, les fous rires d'adolescentes et les complicités sans lendemain des « jeunes filles à marier », dont cette expression montre bien les limites, c'est à la cellule familiale que les femmes consacraient toutes leurs richesses affectives. Pour elles, entrer dans les ordres et entrer en famille n'était pas fondamentalement différent. Les deux passaient pour une vocation et exigeaient de renoncer au monde, à ses pompes et à ses œuvres.

Toutes les femmes qui aujourd'hui se défroquent, celles qui se trouvent démobilisées par le mariage de leur dernier enfant ou délogées d'elles-mêmes par le modèle féminin qu'on leur a imposé et dont elles s'éloignent chaque jour davantage avec leurs rides, leur fatigue et cette indifférence masculine qui les nie, toutes celles-là qui ont été soudain prises d'angoisse à l'idée des quarante années que les statistiques leur donnent encore à vivre, cherchent une issue positive. « On pourrait croire, dit Simone de Beauvoir, que c'est la femme qui s'est le plus ardemment enivrée de sa beauté, de sa jeunesse, qui connaît les pires désarrois... mais non. La femme qui s'est oubliée, dévouée, sacrifiée, sera beaucoup plus bouleversée par la révélation soudaine : « Je n'avais qu'une vie à vivre et voilà quel a été mon lot. Me voilà ! » Et elle s'épouvante des étroites limitations que lui a infligées la vie... Du fait qu'étant femme elle a subi plus ou moins passivement son destin, il lui semble qu'on lui a volé ses chances, qu'on l'a dupée, qu'elle a glissé de la jeunesse à la maturité sans en prendre conscience. »

Que ces femmes-là deviennent militantes politiques ou féministes ou qu'elles entreprennent des stages de recyclage et de réactivation de leurs aptitudes, on assiste au même spectacle émouvant : les retrouvailles avec leur jeunesse plus ou moins trahie ou étouffée par la vie et la découverte dans les larmes et dans les rires de la douceur d'être entre femmes. Une douceur, un plaisir extrêmes, que les hommes connaissent entre eux et cultivent depuis les Grecs et dont ils ont trop bien éprouvé les vertus et le pouvoir de diversion pour n'avoir pas cherché à en priver les femmes afin de les conserver pour eux seuls. On — on, surtout les hommes — a longtemps fait courir le bruit que des femmes réunies entre elles ne pouvaient que s'arracher les yeux. Il faut avoir assisté à une réunion du M.L.A.C., où elles découvrent enfin la chaleur humaine, face à l'angoisse de devenir mère malgré soi, qu'elles ont vécu isolées et coupables dans les siècles des siècles... Il faut avoir vu à un stage de *Retravailler*[1] des femmes de tous les âges et de tous les milieux qui croyaient n'avoir rien à faire ensemble et rien à se dire, s'aborder dans l'anxiété et la réticence puis très vite se reconnaître et s'étreindre en se disant : « Alors, toi aussi... ? » Il faut avoir vu ces femmes retrouver leurs rires et leur liberté de petites filles, rajeunir, changer de visage, se mettre à oser « voler » du temps à leur famille pour leur usage à elles, il faut avoir assisté à cette sorte de deuxième naissance pour comprendre ce qui a tant manqué aux femmes jusqu'ici. Et ce qu'elles sont en train de conquérir.

1. Organisme créé par Evelyne Sullerot pour celles qui désirent rentrer dans la vie active.

Et cette fois, il ne s'agit plus seulement d'intellectuelles, de bourgeoises émancipées ou de personnalités exceptionnelles; l'avant-garde se trouve désormais dans toutes les classes sociales. Dans une étude remarquable éditée par le C.N.R.S[1]., la sociologue Andrée Michel cite cette phrase d'une jeune aide-soignante, habitant une H.L.M. de banlieue, et qui résume d'une manière brutale et profonde toute la nouveauté du regard que les filles portent sur elles-mêmes et sur les garçons : « C'est drôle, tu prends dix filles et un gars : on ne lui fait pas la loi; on le laisse parler. Mais deux filles et deux gars, c'est fini; la loi, c'est eux. Pourtant on aurait nous aussi quelque chose à dire. Quelque chose d'autre. Qu'eux, ils ne savent pas, qu'ils n'ont pas en eux; et qu'on a, nous... »

Elles savent maintenant qu'elles ont quelque chose à offrir au monde.

Alors ? Le féminisme ou la mort, comme disent certaines[2] ? Il serait peut-être plus modeste et plus juste de dire : le féminisme et la vie.

Le spectacle du monde tel qu'il est, la famine dont on annonce tranquillement qu'elle va tuer un demi-milliard d'êtres humains avant l'an 2000, entre une publicité pour Kitekat et une incitation à acheter *Salut les copains*, la sécheresse au Sahel dont nous regardons les images le cœur sur la main et les mains dans les poches, les fils et les filles des éléments les plus achevés de notre société capitaliste, les grands bourgeois et les cadres, partant mendier ou se détruire à Katmandou et chercher des raisons de vivre

1. *Activité professionnelle de la femme et vie conjugale.*
2. Comme Françoise d'Eaubonne dans un livre qui porte ce titre aux éditions Pierre Horay.

dans une civilisation qui crève, l'incapacité de renoncer à cette merveille de la science, la fission de l'atome, dussions-nous mettre au monde des enfants de Minamata... tout cela ne devrait pas nous donner une si haute idée de l'industrie des hommes, qui ont eu tous les pouvoirs depuis 10 000 ans.

Qu'avons-nous à perdre à associer les femmes à ce pouvoir ? Elles sont plus près des arbres, de l'eau originelle qui baigne leur descendance, elles ont le sens du bonheur ayant survécu si longtemps au malheur, et elles l'ont aussi, cette étincelle qu'il faut bien appeler divine, faute de mieux.

Il faut que les femmes crient aujourd'hui. Et que les autres femmes — et les hommes — aient envie d'entendre ce cri. Qui n'est pas un cri de haine, à peine un cri de colère, car alors il devrait se retourner aussi contre elles-mêmes. Mais un cri de vie. Comme celui du nouveau-né, dans lequel on ne peut s'empêcher d'enclore, à chaque fois, un nouvel espoir.

Table

Du même auteur
aux Éditions Grasset

LA PART DES CHOSES, 1972

AINSI SOIT-ELLE, 1975

LES TROIS-QUARTS DU TEMPS, 1983

LES VAISSEAUX DU CŒUR, 1993

LA TOUCHE ÉTOILE, 2006

Aux Éditions Denoël, en collaboration
avec sa sœur Flora Groult

LE JOURNAL À QUATRE MAINS

LE FÉMININ PLURIEL

IL ÉTAIT DEUX FOIS

Aux Éditions Mazarine

DES NOUVELLES DE LA FAMILLE

Dans la collection Femmes, Denoël-Gonthier

LE FÉMINISME AU MASCULIN

Aux Éditions Alain Moreau

LA MOITIÉ DE LA TERRE

Au Mercure de France

Olympe de Gouges,
textes présentés par Benoîte Groult, 1986

Achevé d'imprimer en mai 2006 en France sur Presse Offset par

BRODARD & TAUPIN

GROUPE CPI

La Flèche (Sarthe).
N° d'imprimeur : 35757 - N° d'éditeur : 74125
Dépôt légal 1ère publication : août 1977
Édition 17 - mai 2006
Librairie Générale Française – 31, rue de Fleurus – 75278 Paris cedex 06

30/4915/2